GALERIA LITERARIA

GRAN SOL

IGNACIO ALDECOA

GRAN SOL

NOVELA

EDITORIAL NOGUER, S. A.
BARCELONA - MADRID - MÉXICO

DIBUJO SOBRECUBIERTA

RAMON ROGENT

Primera edición: 1957

Segunda edición: 1963

RESERVADOS TODOS LOS DERECHOS

Depósito legal B.6139-1963   Número de registro 3806-56

© *by Ignacio Aldecoa, 1963*   *Printed in Spain*

E. D. O. S. A. - IMPRENTA MODERNA. - PARÍS, 132. - BARCELONA

DEL NOROESTE AL SUR DE IRLANDA, EN EL OCÉANO ATLÁNTICO, SE EXTIENDE UNA ZONA DE FONDOS PLACERADOS RICOS EN PESCA. EL CENTRO DE ESTA ZONA ES UN BANCO QUE EN LAS CARTAS DE NAVEGACIÓN INGLESAS SE DENOMINA *GREAT SOLE* Y EN LAS FRANCESAS *GRAND SOLE*. LAS TRIPULACIONES CANTÁBRICAS DE LA PESCA DE ALTURA LO LLAMAN «GRAN SOL».

DEDICO ESTA NOVELA A LOS HOMBRES QUE TRABAJAN EN LA CARRERA DE LOS BANCOS DE PESCA ENTRE LOS GRADOS 48 Y 56 DE LATITUD NORTE, 6 Y 14 DE LONGITUD OESTE, MAR DEL GRAN SOL.

«Dijo a Simón: Tira a alta mar y echad
vuestras redes para pescar.»

SAN LUCAS

PRIMERA PARTE

E L sudeste lento, cálido, hondo picaba las aguas de la dársena. Lejana amarilleaba la mar abierta. En el cielo del atardecer se apretaban las nubes como un racimón de mejillones, cárdeno y nacarado. Las gaviotas daban sus gritos estremecidos revoleando el puerto, garreando las olas. Un barco bonitero navegaba hacia la línea de atraque: baja la mar, bajo y áspero el run del motor.

Olía a podredumbre de algas y a tormenta. Colorineaban las manchas de gasoil en las aguas. En los muelles la marea descendente descubría los machones moluscarios, las verdisucias rocas del espantado correr de los cangrejos, las órbitas náufragas de las cloacas, el hierro corroído de las escalerillas.

Por los grandes cangilones de la draga de cadena discurría la aventura de la chiquillería, destemplada a ratos por las advertencias de las mujeres del pescado: mímica y guirigay raqueros. Por un ángulo de la dársena, en el que, pasado el cemento del muelle, se extendía un arenal barbado de junquillos con redes del oscuro y noble color del ron, oreándose, tres mocetes estaban al pulpo.

Cercana a la rampa del puerto la pareja de altura, abarloados los barcos, se balanceaba al hervorcillo de la mar. En las chimeneas la distintiva en naranja y azul. Blancos los puentes, ocres los guardacalores, negros y rojos los cascos. El nudo gigante de los aparejos en los saltillos de las popas. En los espardeles los ordenados y débiles muros de las cajas de pescado, las lanchas, el verdor de vegetación marina de los trajes de aguas al aire. En el palo de proa, arriba, en la galleta, donde, en la noche, la fosfórica luz de rumbo, y en los claros nocturnos del Atlántico Norte, estrella, el punto inquieto de una gaviota; palo de proa del «Aril». «Uro» y «Aril»: altas proas valientes.

Simón Orozco, desde el muelle, junto a sus barcos, observaba la mar, atendía al rumor del sudeste. El pie izquierdo sobre el noray de las amarras de popa, las manos en los bolsillos del pantalón. Por el portillo de la cocina del «Aril» asomó la pelambre bermeja del engrasador Carmelo Álvarez. Simón Orozco miró hacia abajo; preguntó:

—¿Cuánto queda, Álvarez?

Álvarez extendió una mano, la balanceó de pulgar a meñique, de meñique a pulgar.

—Dos horas..., yendo bien, dos horas. El eje mal montado... Se acabó el aire del depósito... Tendrán que pasarnos aire del «Uro».

—Pero, ¿no tiene números el eje?

—Sí, patrón.

—¿Entonces?

Carmelo Álvarez hizo una mueca, significando que se limitaba a obedecer. Repitió Simón Orozco:

—¿Entonces?

—Ventura mandó que así, y así lo hemos hecho... Ventura dijo...

Simón Orozco sacó las manos de los bolsillos; golpeó el puño derecho contra la palma de la mano izquierda.

—Ventura... Ventura... — dominó su irritación, interrogó: — ¿Y el inspector?

—No había comido y ha ido al bar a tomar algo.

Simón Orozco miró hacia los amarillos de la alta mar; se abstrajo pensando en la tormenta; calculaba el tiempo. Carmelo Álvarez respiraba profundamente. Simón Orozco llevó la mirada al rumazón tormentoso. La barra, con tormenta, sería difícil de pasar. Habría que intentarlo por el nordeste, si no al oeste, pegados a los bajíos. Urgía el tiempo. Monologó:

—Puede cambiar. Habrá que salir, de todas maneras. Mañana a las once tiene que estar hecha la nieve...

—¿No hay hielo aquí, patrón? — interrumpió Carmelo Álvarez.

—No hay bastante. Tenemos que ir al Musel.

—Eso nos lleva ocho horas largas, navegando bien; con tormenta...

—Ya veremos.

Carmelo Álvarez alzó los ojos al cielo. Dijo:

—Malos semblantes, patrón, malos vientos.

Una voz agria llegó desde las máquinas:

—Baja, Gato Rojo, que no cobramos por ti.

Carmelo Álvarez respiró hondo. Volvió la cabeza. Gritó:

—¡Ya voy!

Gritó más fuerte:

—¡Que ya voy, maricas, que ya voy!

Salmodió mecánicamente sexos, funciones fisiológicas, abundó en metáforas turbias. Luego quedó tranquilo y sonrió.

—Patrón, esta va a ser una buena marea; me lo canta algo aquí dentro.

Según costumbre, Simón Orozco desvirtuaba la magia de los presentimientos.

—Puede que no traigamos ni para los gastos.

La voz agria insistió desde las máquinas:

—Gato Rojo, baja de una vez.

Carmelo Álvarez escupió a la tapa de regala. Su cabeza desapareció del portillo. Simón Orozco miró otra vez hacia la alta mar, y echó a andar por el muelle hacia el bonitero.

Hombres en hilera descargaban el pescado. Cloqueaban las madreñas y las botas de suela de madera de las pescadoras. Los hombres de la descarga trabajaban descalzos, abierto el compás de las piernas, macizos los pies. Se oían palabras en vasco flotando sobre el barullo de bromas, gritos, risas y blasfemias. Caía algún bonito, cacheteaba el suelo y resbalaba después.

El patrón del bonitero observaba el trabajo desde el puente, por babor, apoyado en el bastidor de la ventana. Simón Orozco le saludó.

—¿Qué, Koldobika, qué tal os fue?

El patrón del bonitero sonreía satisfecho.

—Bien bien... una selguera grande... hemos seguido... bien... Otros, nada... Máquina, máquina, nada... Tres días sin ver pez... Luego selguera... bien, bien... cincuenta millas para el nordeste... Bueno, todo bueno, todo bien... Ha habido suerte.

La selguera, la balsa de bonito cabeceando la superficie de

la mar, había que encontrarla en el Cantábrico; había que tener suerte. Simón Orozco sabía lo que significaba aquella palabra. Suerte: unos duros para poder vivir, para que la mujer
pagara en la tienda de comestibles, para que los hijos pudieran
seguir yendo a la escuela. Había otra clase de suerte. Prefería
no pensar en ella, prefería solamente confiar. Se acordaba...
el bou «Asunción» no tuvo suerte. En la primavera pasada, a
la altura del faro de Bull. Se acordaba... Antón Zugasti, su patrón. En Pasajes solían jugar al mus. En Pasajes se habían conocido hacía muchos años cuando eran muchachos y pensaban
que la mar ofrecía mucha vida, mucho dinero... A la altura
del faro de Bull, viejo conocido, Antón Zugasti, viejo conocido.
No, no tuvo suerte Zugasti. Ni Zugasti ni los dieciséis hombres
de su tripulación.
     Simón Orozco atendió la advertencia de una mujer.
     —Apártese, señor Simón.
     Se apartó para dejar paso al carrillo cargado de pesca.
Volvió a oír la voz del patrón del bonitero:
     —Salida mala, Orozco... vientos malos... Gran Sol malo...
Poca pesca el «Ogoño» y el «Izaro»... encontramos oeste del
Machichaco para casa... Dijeron que malo, que subir al norte,
al cincuenta y seis.
     Simón Orozco sonrió. Pensaba en las tretas del primer pa-
trón de pesca de la pareja «Ogoño» e «Izaro». Siempre malo.
Malos los tiempos, mala la pesca, mala la tripulación, que estaba hecha a la bajura y no rendía en las playas del norte. Todo
malo y la nevera llena.
     Simón Orozco dijo:
     —Ya conozco yo a Astaburuaga. Ya conozco ese percal.
Engaña siempre. Llevará, si ha dicho que malo, ochocientas o
mil cajas de pescado blanco. Sabe mucho, buen pescador, pero
malos hígados.
     El patrón del bonitero bajó a la cubierta de su barco.
     —Hay que tomar una copa.
     Ascendió por la escalerilla hasta el muelle. Bajo, pesado,
ancho de caderas y de pecho, arrastrando los pies calzados de
borceguíes; se acercó a Simón Orozco.
     —Hay que tomar una copa, Orozco — repitió.
     Simón Orozco bromeó:

—Hay que ahorrar, eso es lo que hay que hacer.

El patrón del bonitero se golpeó la barriga con las manos.

—¡Chá, Orozco, ahorrar del gusto es malo, muy malo! Ahorrar para reventar como todos, ¡quiá!

Caminaron los dos patrones hacia el bar de la Lonja.

En el bar — humo picante de sardinas asadas, llantos de chiquillos, densidad de moscas revoloteando sobre pringues y humedades, altas voces habituadas al pregón — cortaban el bacalao las tripulaciones del «Uro» y el «Aril». Las mujeres y los hijos de los tripulantes hacían gasto de *oranges* y gaseosas. Los tripulantes se despedían con vino tinto; el vino tinto del adiós, que amarga y seca la boca, que da un poquito de fuerza al corazón, que riega el chiste encubridor de la tristeza, que fija la sonrisa de la marcha y disculpa la acuosidad de la mirada. El veraneante caprichoso de lo pintoresco, el emboscado de la Lonja, el mestizo de bahía y alta mar bebían y daban al diente, silenciosos en el barullo de la gente del Gran Sol.

Simón Orozco buscó con la mirada una mesa libre; no la encontró. Fue hacia el mostrador, seguido del patrón del bonitero. Se abrieron de la barra el contramaestre Afá y un engrasador del «Uro».

—Señor Simón — dijo Afá —, les dejamos el sitio. ¿Saldremos pronto?

—¡Qué sé yo, José!

—El inspector me ha devuelto los vales. Hasta el viaje que viene no hay malleta.

La frente de Simón Orozco se onduló y rayó de arrugas.

—Pesca ya quieren que traigamos, pero malleta no hay. ¡Gentuza! ¡Gentuza!

—Así es como se pierden las artes... — dijo Afá.

—Así es como se pierde el tiempo.

Afá se había dejado el rol sobre el mostrador.

—Señor Simón, el costa no ha llegado todavía. He estado en la Comandancia para recoger los libros...

El patrón del bonitero pedía de beber. Preguntó a Simón Orozco:

—¿Tú, qué vas a beber, Simón?

—Café.

—¿Y una copa?

2

—Copa, no.

—Hay que celebrarlo, hombre.

—Con café, no quiero alcohol.

El patrón del bonitero invitó al contramaestre Afá y al engrasador del «Uro».

—¿Vosotros?

—Vino — dijo Afá.

El patrón del bonitero preguntó:

—¿Y tu mujer, Simón?

—Está en Elanchove con la abuela y los chicos, por un par de días...

—Tu chico mayor tendrá... tu chico ya pronto soldado...

—Dentro de dos años.

—¿Qué hace?

—Mecánico.

—Yo al mayor lo tengo en la mar con Cristino, en el «María del Milagro».

—Yo a la mar ni a mi peor enemigo; que se busque la vida en tierra.

—A ti no te va tan mal, Simón.

—Me podía ir peor.

El contramaestre Afá sostenía un palique con el engrasador.

—Tú coges el paseo grande a estribor, avante hacia el sur, luego al oeste por la calle de Cajal, avante, luego timón al rumbo de la bodega de Sánchez, avante, libre hasta el final. En el número cuarenta y cinco, segundo piso; son siete duros; es mejor ir los jueves...

El engrasador afirmaba con la cabeza. El contramaestre Afá fijó la mirada en el calendario colgado, tras el mostrador, del estante de las botellas de licores.

—...Una vez armamos una... Pedrito, el buzo, tiró una silla por la ventana, luego se tiró él... estaba también Macario el Matao... Pedrito se abrió la cabeza y se partió un brazo, hubo que recogerlo a salabardo...

Bebió un trago y apretó los labios.

—...A Pedrito, bueno, Pedrito en cuanto bebía se iba por la borda, era su manía. Tenía como golpazos de mala sangre y no se le podía sujetar... Veníamos de Vigo con dinero — año-

ró, guardando un momento de silencio —, con mucho dinero...
Si uno lo tuviera ahora...
   Simón Orozco dijo al contramaestre Afá:
   —José, ¿están los víveres a bordo?
   —Sí, señor Simón.
   —¿Habéis hecho la sal para el bacalao?
   —Sí, señor Simón.
   —¿Cuánta sal?
   —Siete sacos.
   —Ya serán más.
   —No, señor, lo que usted dijo.
   —Ya serán más.
   —Es que sobraron de la marea pasada dos sacos, pero sólo
hemos subido siete.
   —Ya ves como son más. Pues saláis bacalao con los siete, ni
un puño más. ¿Entendido?
   —Sí, señor Simón.
   Macario Martín el Matao, cocinero del «Aril», estaba en el
extremo del mostrador bebiendo con los marineros de su bar-
co, Juan Ugalde y Venancio Artola y dos tripulantes del «Uro».
Macario Martín tenía los ojos blandos por la luz de la mar, el
humo del fogón y el vino. En la mano izquierda — mano del
tiento al chipirón, a la sula, a la breca, en los descansos de
bahía — junto al pulgar, tatuado con torpeza, débil la tinta,
llevaba un recuerdo de servir en la armada: «Rosa de los Rumbos», base de Cartagena, año 1925. El zurdo Macario Martín
hablaba y reforzaba las palabras con los ademanes de su mano
siniestra.
   —Yo me he casado tres veces y te digo que hace falta tener
muchas ganas para hacerlo. Tú, Venancio, si yo tuviera tu edad...
tú, Venancio, no te debes de casar. Te lo digo yo, que me he
casado tres veces. Te arrepentirás. No es necesario casarse. Yo
me he casado tres veces. ¿Y qué? Si yo tuviera tu edad no me
casaba. Eso de que hay que casarse no es verdad. Yo me he
casado tres veces, tú no entiendes... Que nos pongan otros
vasos.
   El bermeano Venancio Artola no estaba conforme con lo
que decía Macario Martín. Movía las manos y la cabeza pesada,
negativamente.

—Tú, Matao, no tomas el casarse por lo serio...

Venancio Artola era torpe de expresión. Macario Martín no le dejó continuar.

—No me vengas con sermones, Venancio. Tú haz caso del pez viejo. El que ha mordido el anzuelo sabe el sabor del anzuelo. También sabe soltarse si es de cola larga y tiene buena aleta. Tú crees que a las mujeres las matas; eso se cree a tus años, porque no las matas. ¿Las miras y las matas...? ¡Que te crees tú! Ellas te abren la chalupa por bajo. Yo me he casado tres veces, he aprendido un poco, puedo decir algo. Tú crees que les cuentas cualquier cosa y las matas; no las matas, Venancio, que no las matas; el pez viejo sabe que no. Si te descuidas, el *matao* eres tú.

Macario Martín dio un traspié. Continuó:

—Dale palos, dale lo que quieras, se te revuelve, se te escapa, como el congrio, como el vino malo. Las de aquí y las de tu pueblo. Las de todos los sitios. No las matas. Yo lo sé y si tú me hicieras caso sería como si lo supieras. Pero, no; son veintinueve años, un chiquillote. Yo ya tengo cincuenta y dos. A los veintinueve años toda la mar es azul; hasta que no la veas negra, jurarás que es azul... Ahora pago yo.

El contramaestre Afá bromeó a gritos:

—Calla, Matao, que te desgastas, que no dices más que tonterías, que se sabe todo y la parienta te arrima un cabo a las costillas en cuanto le levantas los ojos de besugo.

Macario Martín se encogió de hombros echándole desprecio al gesto. Dijo a sus compañeros:

—Como ése...

El contramaestre Afá sonrió...

—¿Ha visto usted, señor Simón, cómo está hoy el Matao?

Pausada, fría, serenamente, dijo Simón Orozco:

—Ya lo he visto. Que se ande con cuidado porque un día lo dejo en el muelle para que se espabile; no quiero borracheras a bordo.

Los labios del contramaestre Afá dejaron lentamente de sonreír. La sonrisa se hizo rictus; después, un gesto casi infantil de preocupación. Afá y Macario Martín eran muy amigos.

—Es buena persona — afirmó Afá —, sólo que si bebe un

poco más de lo que debe le da el galernazo. Pero es buena persona, hablar y hablar y hablar...

El motorista Domingo Ventura estaba sentado a una mesa con su mujer Begoña María y sus tres hijos. Begoña María tenía al chiquitín en el regazo. Petra Ortiz, mujer del contramaestre José Afá, se arrimó a la mesa.

—Me siento con vosotros.

Domingo Ventura gritó:

—José, tu mujer.

—Déjalo — dijo Petra Ortiz —. Ya vendrá cuando quiera. Hoy nos hemos peleado.

Afá no quiso oír. Begoña María dio un poquito de gaseosa a su hijo pequeño; habló:

—Siempre os peleáis cuando se van los barcos.

—Así se marcha tranquilo — explicó Petra —; si no, le da tierna. Estos hombres son como criaturas. Así, de vuelta, me coge con más gana.

Begoña María se rió nerviosamente...

—Tienes unas cosas, Petra...

—Haz tú la prueba con éste. Ya verás lo bien que te va.

Intervino Domingo Ventura:

—No me revuelvas a ésta, Petra, que ya nos peleamos lo suficiente.

Hizo una mueca de irritación Begoña María. Domingo Ventura se adelantó a sus palabras.

—Cálmate, mujer, cálmate. Bebe gaseosa y tranquilízate. Me voy que me llama el patrón.

Las dos mujeres se enzarzaron en una conversación crítica.

—La gallega — dijo Petra Ortiz — me ha dicho que está otra vez preñada, ¿qué te parece? Y el marido tan campante. Éste es el octavo. Ni que fueran millonarios.

—La gallega tiene tripa de bacalada y ese Arenas tiene la cabeza vacía. ¿Con qué pensará alimentarlos a todos?

—A la mar...

Domingo Ventura dijo a Simón Orozco:

—Patrón, eso estará listo dentro de una hora. Ahora me voy a acercar al barco.

—Ya debieras estar allí. ¿Y el inspector?

—Estuvo aquí, pero lo llamó por teléfono el armador y se ha ido al despacho.

—Cuando esté todo listo avisas, que quiero que salgamos pronto. Se está echando un nubazo. Habrá que ir costeando si se puede...

—Bien, patrón.

Hubo un momento de silencio. Domingo Ventura dijo a Afá:

—Tu mujer está ahí.

—Ya la he visto.

—¿Estáis peleados?

—No, ahora iré para allá.

—¿No estáis peleados?

—Te he dicho que no; ahora iré para allá.

—Bueno, hombre, bueno. Ella dice que estáis peleados.

Afá se desconcertó.

—No dice más que tonterías.

Domingo Ventura se encogió de hombros.

—A mí... lo que ella dice, pero no te enfades conmigo, enfádate con ella.

Escupió con rabia Afá.

—Cuánto te gusta meterte en la vida de los demás, Domingo...

El patrón del bonitero se había despedido. Simón Orozco estaba silencioso, aislado, apoyado con los codos en la barra del mostrador. Macario Martín cantaba una jota hasta que le dio un ahogo y tuvo que callarse; se calafateó la garganta con un trago. Su mujer — la greña, la tristeza, la vergüenza — estaba pegada a él e intentaba hablarle.

—Macario...

—¿No ves que estoy con los amigos?

—Macario, me has quitado del cajón...

—¿No te he dicho que estoy con los amigos?

—Pero, ¿para qué necesitas dinero en la mar?

—¿Cuántas veces quieres que te diga que estoy con los amigos?

—Bien, Macario, pero es lo último que me quedaba, si te lo llevas...

Macario Martín se echó mano al bolsillo.

—Tómalo.

La mujer contó el puñadito de billetes.

—Macario, dame el resto.

—No hay resto.

—Pero, ¿para qué necesitas dinero en la mar?

—No tengo dinero, me lo he gastado.

Macario pasó el brazo por la espalda de su mujer.

—Te voy a cantar una jota.

La mujer se desasió.

—No me cantes y dame el resto.

Macario sacó otro puñadito de billetes.

—Tómalo, pero tienes que invitarnos.

Los compañeros se negaron a beber. Macario pidió un vaso grande.

—Ahora te voy a cantar una jota, Segunda.

La voz rota de Macario se alzó sobre los ruidos del bar. Se congestionó, desistió y bebió un trago.

—No estoy para estos temporales. De joven tenías que haberme oído...

Segunda Esteban fue hacia la mesa de Begoña María y Petra Ortiz.

—¿Qué te pasa, Segunda? — dijo Begoña María.

Sollozó Segunda.

—El muy canalla que se llevaba los cuartos, la mala sangre que tiene ese hombre.

—Tú tienes la culpa — afirmó Petra Ortiz —. Tú tienes la culpa. Si no te emborracharas con él, si no fueras igual que él...

Segunda Esteban se quejó:

—Eso es lo que vosotras creéis, pero no es verdad, no es verdad, yo no bebo con él.

Sollozó profundamente.

—Vamos, vamos... — dijo Begoña María.

—No tienes por qué quejarte, ya sabías quién era cuando te casaste — dijo tranquilamente Petra Ortiz.

—Déjala, mujer — pidió Begoña María.

Luego, cariñosamente, invitó a Segunda.

—Tómate algo y no pienses más en ello.

El contramaestre Afá se acercó a la mesa.

—Hola, Begoña; hola, Segunda. ¿Dónde están los chicos, Petra?

—El pequeño por aquí. Los otros están jugando o pescando o qué sé yo.

—Pues lo debieras saber.

—Lo mismo que tú.

—Bueno, bueno...

El contramaestre Afá se apartó de la mesa.

Los gallegos de las tripulaciones del «Uro» y el «Aril» formaban grupo aparte. El «Aril» tenía tres marineros gallegos y el patrón de costa.

—No es marinero — sentenció Joaquín Sas —. Ya puedes andar cien años en la mar que no es marinero.

Los hermanos Quiroga respetaban las opiniones de su compañero Sas. Juan Quiroga opinó tímidamente:

—Pues el patrón del «Pagasarri» lo tuvo de contramaestre.

—No es marinero y para ser contramaestre, nada. No tiene autoridad, no sabe. He navegado con él cuatro años, lo conozco bien. No es marinero.

El patrón de costa Paulino Castro entró en el bar. Era nervioso y menudo. Al pasar junto a Simón Orozco, saludó.

—Buenas tardes. ¿A qué hora vamos a salir?

—En seguida.

El contramaestre Afá le entregó el rol.

—Aquí tiene usted los libros.

Paulino Castro siguió adelante hasta la mesa de los gallegos. Celso Quiroga se levantó para cederle el asiento.

—¿Quiere usted sentarse, patrón?

—No, voy al barco. ¿Has llevado lo que te dije?

—Sí, patrón.

En la barra los dos patrones del «Uro», recién llegados, conversaban con Simón Orozco. Paulino Castro les saludó con un ademán; fue hacia ellos. Joaquín Sas comentó:

—La oficialidad al puente.

Macario Martín enteraba de la vida al ondarrés Juan Ugalde.

—Tú, como los cangrejos, guardas, guardas, ¿y qué? Hay siempre otro que te está esperando; resulta que aunque no te des cuenta ahorras para él. Es el que te mata, bien matao.

Juan Ugalde no discutía jamás. Cuando se hartaba de escuchar se marchaba. Si le molestaban, decía, extendiendo sus grandes manos:

—Calla, pues, hablas como las viejas, calla pues, me cago en tal y en cual.

Uno de los hijos del contramaestre Afá entró en el bar con un pulpo pequeño, rabioso en su agonía, cubriéndole una mano. Le seguían dos mocetes. Su madre lo llamó.

—Has merendado, has comido algo, ¿verdad?, y luego andas en las aguas. Te voy a arrimar una... ¿Cuántas veces te lo voy a decir, di, cuántas veces?

El chiquillo salió a la calle, con su pesca furiosa y sus dos silenciosos amigos. Dijo a sus seguidores:

—Vamos a la draga a pasarles el pulpo por el morro a las chavalas. Veréis cómo gritan, pero no es asco, es que quieren que las toquemos.

Se fue hacia la draga seguido de sus acólitos.

En el bar había aumentado la densidad de las moscas. Zumbaban en los cristales de las ventanas, tras los cuales se veía un cielo anubarrado, negro y profundo. La cabeza de la mujer del engrasador Manuel Espina se doblaba sobre la labor de punto.

—Mala salida — dijo a su suegro el viejo Espina: pescador de la bocana, pescador en solitario, gran pescador de cordel —. El señor Simón querrá salir ahora, pero debería esperar.

El viejo Espina aclaró:

—Ya sabe Orozco si ha de salir, no hay que darle lecciones. El cielo embarrado no tiene tanto que temer. Lo que importa es el viento. Peor fuera un noroeste; eso sí que es para meterse en las machinas.

La mujer cambió la conversación:

—¿Ha visto a su nieto? Nos está saliendo tan buen pescador como usted.

—Mejor saldrá; le tiene afición. Uno de estos días lo voy a llevar conmigo.

—Todavía es muy pequeño, ya tendrá tiempo.

—¿Pequeño? A su edad salía yo con mi padre, por obligación, a ganarme la comida.

El del mostrador discutía con Macario Martín.

—Son ocho, Macario, no cuatro.

—Pero si te pagué antes.

—Que son ocho.

—Pero... te juro por mi madre que no vuelvo a...

—Lo que tú quieras, pero son ocho.

Cuando Joaquín Sas se reía mostraba los dientes mellados, feroces, sarrados del vino, del tabaco y de la falta de limpieza.

—El viejo debe estar ahora como para que le hurguen el ombligo. Me alegro de su mala digestión. Me alegro de que no tenga con quien tomarla. Me alegro de que almacene bilis.

—El señor Simón — dijo Juan Quiroga — tiene razón. Ya podíamos estar en la mar hace un par de horas. Encima se nos viene la tormenta. Seguramente no saldremos hasta la madrugada.

—Que te crees tú. El viejo sale a la mar aunque hunda los barcos. Si en la mar está de malas, en puerto está de peores. ¿No lo has visto otras veces?

Simón Orozco decía a los patrones:

—Salimos en cuanto el eje esté listo. Avisad a todos que no se espera, porque a éstos hay que avisarles con tiempo. Ahora con el beber están aquí bien, luego se les ocurren las cosas.

—No — dijo Begoña María —, no quiero que bebas más.

El chiquillo cogió una rabieta y empezó a patalear. Begoña María le dio unos azotes y lo dejó en el suelo. Añadió:

—Y esto que queda me lo bebo yo y no pidas más porque no hay.

Petra Ortiz hizo ademán de tender su vaso de *orange* al pequeño.

—Toma, raquerín.

—No le des, Petra.

—Sólo un poquito, mujer, para que deje de llorar.

El chiquillo aplicó los labios al borde del vaso y bebió.

—Ven aquí, cochinazo, ven, que te quite esas velas — dijo Begoña María.

El chiquillo se debatía entre los brazos de su madre, le dio una patada a la mesa.

Petra intervino.

—Pero qué malo eres, pero qué diablo estás hecho.

El vaso se vertió. Begoña María dio unos cachetes al niño.

—Anda a la calle, a jugar, no quiero verte por aquí, salvaje, más que salvaje.

Begoña María se atusó el pelo.

—No se puede con él.

El pelo de Begoña María era rubio, de un rubio claro y apagado. La piel le hacía arrugas en las comisuras de los párpados. De la boca amarga le ascendían, recortándole las mejillas, dos profundos surcos. Tenía ojeras con una granazón y un color de tetillas circuyéndole los ojos profundos.

—No se puede con él — repitió —. Como salga como los otros, acaba conmigo.

Petra Ortiz filosofó:

—Más disgustos dan los padres que los hijos.

Comenzaban a llegar tripulantes del bonitero. Se les hacía sitio en la barra. Macario Martín buscaba bolsas propicias.

—Buena pesca, ¿eh? Buenos billetes, muchachos.

Los pescadores del bonitero eran generosos y desconfiados; invitaban por voluntad, pero no querían caer en las trampas de palabra de los invitados.

Macario Martín echaba mano de todas sus viejas tretas. Desafió al pulso a un mocetón; perdió. Dijo:

—Al derrotado hay que invitarle para que se le pase el dolor del brazo y el mal trago de la derrota.

Venancio Artola admiraba, boquiabierto, a su compañero.

—Qué tío estás hecho, Macario; lo que tú no sepas...

Macario Martín guiñaba el ojo y se le escapaba una lágrima.

—Cincuenta y dos años, nada más que eso.

Pasó por el bar el aviso de que los barcos iban a salir. El contramaestre Afá se acercó a los gallegos.

—Si tenéis que ir por las cestas, id. Salimos en seguida. No se espera a nadie.

Bajo las mesas había cestas de mimbre con los complementos alimenticios de cada uno.

Joaquín Sas preguntó:

—Pero, ¿no decían que había todavía para dos horas?

—Había, Sas. Ya está arreglado.

—Entonces, ¿no queda tiempo para ir hasta el bar del Asturiano a echar una copa?

—Os habéis pasado toda la tarde aquí. Tómatela donde estás.

El contramaestre Afá se acercó a Macario Martín.

—No bebas más, Matao. Dentro de un rato salimos. Si tienes que ir por algo...

—Tómate una copa, José.

—Ya he bebido bastante... ¿Y vosotros qué?

Venancio Artola contestó por él y su compañero Juan Ugalde:

—Nosotros tenemos las cestas a bordo. No hay de quien despedirse, no hay por qué esperar.

—Si estuviera aquí tu nesca, otra cosa sería, ¿eh?

Venancio Artola se limitó a contestar:

—Puede.

—En Pasajes perdiste una vez el barco. ¿Qué le estabas haciendo?

—Charlar.

—Sí, charlar. ¿A qué llamas tú charlar?

—Charlar.

Macario Martín explicó a su amigo Afá:

—No le digas nada de la chica, que se enfada. Se ha tomado muy por lo fuerte eso de casarse.

Se rió Afá.

—Ya ves, no todos son como tú, tío asqueroso.

Entraron los engrasadores del «Aril» con el motorista Domingo Ventura. En la barra les dejaron sitio, manchaban. Estaban en camiseta, mostrando sus recias musculaturas de antiguos fogoneros. Calzaban zapatos trastabillados, picañados, rotos, negros de grasa, quemados por el gasoil. Gato Rojo se pasaba un cotón por los brazos.

—Que nos pongan algo de beber.

Dejó el cotón sobre el mostrador.

—Dame un cigarro, Juan.

Juan Arenas sacó un paquete de cigarrillos del bolsillo posterior del pantalón. Bebieron. La mujer de Manuel Espina estaba con ellos.

—¿Ya habéis terminado?

—Ya — dijo Manuel Espina —. ¿Me has traído la cesta?

—Ahí está, donde está sentado tu padre.

—Bien. ¿El chico?

—Por ahí, jugando.

—¿Has puesto bicarbonato en la cesta?

—Y manzanilla.

—Bien.

Macario Martín gritó:

—Gato Rojo, ¿nos vamos?

—Aún queda tiempo. A la hora de la partida siempre quedaba tiempo para los engrasadores. Sabían que sin ellos no podían partir los barcos. Eran los que regulaban la marcha, pegados al motor, aguantando el aliento de la máquina, sus temblores de fuerza sometida.

El grupo de marineros gallegos se había levantado. Juan Arenas les advirtió:

—Aún hay tiempo.

Los patrones caminaban lentamente por el muelle, hacia los barcos. Estaba el cielo cubierto de nubes. Soplaba un aire cálido y fuerte.

—En cuanto estén los engrasadores, largamos cabos — dijo Simón Orozco.

Palomeaba la mar en la bahía. Corría el alboroto de las gaviotas, desplomándose desde mucha altura, aleteando en punto fijo de la mar, remontándose después gravemente.

En el muelle, junto a los barcos, se formaban grupos de pescadores con sus mujeres y chiquillos. Los empleados de la Lonja, los curiosos del puerto, se acercaron para ver partir los barcos. Por el extremo del muelle caminaban los tres engrasadores del «Aril».

—No me jorobéis, la primera guardia la hace el que quiera, pero en este viaje — dijo Carmelo Álvarez — me toca a mí de ocho a doce. La vez pasada...

Le cortó Juan Arenas:

—Echas la vida haciendo cálculos. La vez pasada me tocó a mí de doce a cuatro, sin que tuviera por qué tocarme. Déjame al menos que descanse algún viaje.

—No, la mía es de ocho a doce.

—Pues echamos a suertes.

—No, me toca a mí.

El contramaestre Afá saltó a la cubierta del «Aril». Su mujer le gritó:

—A ver si esta vez vuelves rico, José, que me tienes que llevar al teatro.

Cuando José Afá gritaba se le hinchaban las venas del cuello y se le congestionaba el rostro.

—Ya irás por tu cuenta, pejina, sin necesidad de que te lleve.

Petra Ortiz le hizo una higa.

—Con lo que tú me has dejado.

—Con eso y con lo que guardas, bruja.

Begoña María había besado a su marido.

—Que tengáis suerte.

—¡Ojalá!

Begoña María tenía a su hijo pequeño en brazos.

—Anda, dile adiós a papá.

Domingo Ventura besó a su hijo pequeño, luego posó la mano derecha en la cabeza del mayor y le revolvió el pelo, le dio un golpecillo en la cara al mediano.

—No deis disgustos a vuestra madre, no os aprovechéis de que estoy fuera, porque a la vuelta os caliento. Y que no me vayáis al dique a bañaros, ¿eh?

Los chiquillos movieron las cabezas afirmativamente.

Macario Martín saltó con dificultad a la cubierta del barco. Se oyeron bromas.

—Tú ya no necesitas marearte, Macario... Esa no la matas...

Macario Martín, haciendo aspavientos con las manos, se metió por el portillo de la cocina. Los tripulantes del «Uro» pasaron a su barco. Por estribor, desde el puente, hablaba Simón Orozco con los patrones del «Uro».

—Ya repunta a creciente la marea. ¿Estáis todos?

—Estamos todos.

—Pues listo.

Paulino Castro preguntó desde el bacalao del puente por babor:

—¿Falta alguien?

Juan Quiroga contestó:

—Sas, que fue al Asturiano.

El patrón de costa lo vio correr por el muelle.

—Ya está aquí.

Habían soltado las amarras del «Uro», que lentamente se

despegaba de su pareja. Simón Orozco lió un cigarrillo. Dijo a Paulino Castro:

—Que tengamos suerte.

Paulino Castro repitió:

—Que tengamos suerte.

La mano de Paulino Castro asió la manija del telégrafo. Voceó desde la ventanilla:

—Fuera amarras.

La flecha del telégrafo se movió: Máquina lista, atrás, poca.

El «Aril» se apartó con suavidad del muelle. Se oyó el ruido de la hélice girando.

La flecha del telégrafo osciló, luego quedó fija: Avante, poca.

Paulino Castro voceó por el tubo acústico:

—Noventa.

Fue devuelta la orden desde las máquinas:

—Noventa.

Las gentes del muelle se despedían de los pescadores situados en el espardel o en las amuras de babor.

La cara de Macario Martín asomó por un ojo de buey del guardacalor.

—Segunda — voceó —, guarda algo para mi vuelta.

Segunda Esteban estaba junto a Begoña María. Petra Ortiz comenzaba a caminar hacia su casa. Los chiquillos corrieron al espigón del muelle para ver pasar el barco.

La flecha del telégrafo varió: Avante, media. Su timbre hizo correr un escalofrío desde el puente a las máquinas.

La proa del «Aril» señalaba la alta mar. Los grupos del muelle se desintegraban. Sobre las aguas de la bahía picaban las primeras gotas de la tormenta. El cielo, al oeste, estaba totalmente oscuro. Al este se filtraba una lívida claridad. Simón Orozco se sentó en un banquillo, junto a la sonda eléctrica. Dijo:

—En seguida con Cabo Chico. Ha habido suerte, pasamos la barra antes de que llegue el fuerte de la tormenta.

Paulino Castro miró la línea de boyas. Cogió la manija del

telégrafo, bajó el indicador: Avante, toda. Retembló el «Aril» y la proa se hundió un poco.

Atrás quedaba el espigón con un grupo de chiquillos manoteando. Simón Orozco expelió el humo sobre el suelo.

En los cristales de las ventanas del puente tabaleaba la lluvia, produciendo un suave, un agradable, un acogedor rumor primero.

II

E MPEZAMOS la presente sin novedad. A 7 h. amarramos cabos en el puerto pesquero del Musel para hacer 35 toneladas de nieve, que empezamos a las 9 h. terminando a las 11,30 h. que largamos cabos. A las 12 h. con Cabo Torres que hacemos rumbo a las playas del Gran Sol con viento fresquito del N y marejada, cerrado en lluvias, con chubascos que cada vez son más fuertes. La terminamos sin más novedad.» Paulino Castro dejó la pluma estilográfica sobre el abierto cuaderno de bitácora. Dio una chupada al cigarrillo, cogió la pluma y anotó en la casilla del viaje: «De Gijón a la mar». Después puso la fecha.

Arfaba mucho el barco. El marinero del timón estaba atento a la aguja. En el puente las luces de la caja de bitácora y de la radio esparcían una tenue claridad, aumentada por los reflejos, rojo y verde, de las luces de situación en la cortina de agua, que entraban por las ventanas de los costados. La luz de rumbo en el palo de proa casi no se veía.

La silueta del marinero se recortaba negra y apretada junto a la rueda del timón. Paulino Castro apagó la luz de mesa del cuarto de derrota, que compartía, como camarote, con Simón Orozco. Salió al puente.

El timonel lo sintió tras de él; no volvió la cabeza.

—¡Qué noche, patrón!

Paulino Castro miró el rumbo en la rosa.

—Un poco a estribor, Celso.

Giró la rueda del timón.

—Ya.

El humo del cigarrillo del patrón de costa se pegaba a los cristales de proa del puente.

—Patrón, coja el timón, que voy a hacer un pito.

—¿Quién va detrás de ti?

—Venancio.

—Hazle subir y charláis un rato. Baja por la trampilla.

—Da igual por fuera.

Celso Quiroga abrió la pesada puerta del puente. Entró un golpe de viento y de agua desmenuzada.

—Cuidado, Celso.

El cigarrillo sin elaborar del marinero quedó junto a un trozo de tiza en el hueco de la radio. Celso se descolgó por el costado de sotavento y, sin poner pie en la cubierta, se coló por el portillo de la cocina.

Sobre el fogón había una gran cafetera desportillada con malta caliente. El marinero\ se sirvió un cacillo. Bebió. Se agarró a la pequeña mesa para no perder el equilibrio en un balance. Luego abrió la puerta del rancho de los marineros. Su hablar fue casi un murmullo:

—Venancio... Venancio..., ¿duermes?

La voz fuerte de Venancio Artola emitió la obligada queja:

—¿Aquí?... — preguntó por la guardia —. ¿Es la hora?

—No, falta aún; es para que subas un rato... Dice el patrón...

—No es mi hora, no subo.

Rogó y prometió Celso.

—Hombre, es que uno solo, con esta noche, se queda medio dormido, capuza la cabeza y nos volvemos para el sur. Sube y luego me quedo un rato.

La palabra de Joaquín Sas tenía la acritud del despertar.

—¿Por qué no os vais a charlar a cubierta? Entre las pulgas, los balances y vosotros no hay quien pegue el ojo. Me c... ¿Por qué no termináis de una vez?

Se revolvió en su litera.

—Ya voy, Celso — dijo Venancio Artola.

Sentado sobre una barandilla de la litera, Venancio se calzaba las botas de aguas. Juan Ugalde roncaba. En el rancho olía mal: humo de tabaco, ropa húmeda, gasoil; estabulada humanidad en poco espacio. Celso preguntó:

—¿Dejo la puerta abierta, Joaquín?

—Déjala como quieras y lárgate.

Abrió los ojos Juan Quiroga y se incorporó a medias. Amenazó:

—Luego os quejáis de que se os despierta. Ya veréis...

—Tú a callar — dijo Celso con tono alegre.

Juan Quiroga se irritó.

—Que os den...

Se tendió en el catre.

En la cocina Venancio indicó a su compañero, mientras se servía un cacillo de malta:

—Sube, que ahora voy.

Bebió y escupió.

—El Matao hace esta porquería cada día peor, el Matao buen sacristán está hecho.

Celso había subido por la escalerilla al bacalao del puente. A los pocos instantes le siguió Venancio.

La mar a los costados del barco era una gigante, musculosa oscuridad, que amenazaba, acariciaba o golpeaba el casco. La mar, graneada del chubasco, rompía los reflejos de las luces de a bordo. Por la proa las aguas se abrían blancas. Un golpe de mar hacía un ruido sordo, que persistía debilitándose hasta otro golpe, eslabonándose con él. En la cubierta de proa rielaban los focos de faena, que habían encendido en el puente. Por popa, donde el contramaestre Afá inspeccionaba las sujeciones de los aparejos, bajo la cubiertilla de la baranda del espardel, estaba creada una sensación de rincón de puerto norteño. El agua se derramaba a la mar por los imbornales insuficientes y las puertas de trancanil.

Celso Quiroga, abiertas las piernas, se apoyaba en la rueda del timón. Fumaba. Recomendó al patrón de costa:

—Todavía la malta está caliente, patrón.

—Eso no se puede beber.

—Échele condensada.

Venancio Artola preguntó:

—¿A qué hora tomaremos playa?

—Mañana a la noche, yendo como ahora, por el Petí Sol, o por el banco del Zapato.

—Perderemos el tiempo.

—Tú qué sabes... Donde no hay pesca en tres viajes en el cuarto sacas un copo para llenar el barco.

—Ahí todo el mundo prueba; no sacaremos más que basura.

—Tú qué sabes... Hemos pescado nosotros en Petí Sol, casi siguiendo las aguas del «Escoli» y del «Asun» y ellos nada, y nosotros ciento treinta cajas, ciento cuarenta de blanco. Eso, según. No se puede decir. Es suerte.

Venancio Artola quedó en silencio. Pensaba en placeres de pesca donde a cada lance de la red sucediese una sacada que llenara la cubierta de pescados. De pronto dijo:

—Ya verá, patrón, cómo tenemos que subir muy altos esta vez si queremos llevar algo para casa.

El patrón de costa hizo ruidos con los labios, menospreciando lo dicho por Venancio. Luego dijo:

—Voy a ver lo que hay por abajo.

—En nuestro rancho están todos dormidos — advirtió Celso —. Vaya a ver al Matao y al contramaestre, que no duermen. Esos nunca duermen, traen fritos a los engrasadores.

Simón Orozco dormía. Hizo un movimiento en su litera cuando Paulino Castro levantó la trampilla del suelo del cuarto de derrota para bajar a los ranchos. En el puente, Celso hacía confidencias a Venancio.

—Tú, Venancio, que tienes la cabeza sobre los hombros, ¿tú crees que me debo casar o que debo seguir el consejo del Matao?

—¿Qué te ha dicho el Matao?

—Que no me preocupe aunque esté embarazada, que eso no tiene importancia...

—No le hagas caso a esa rata.

—Yo me casaría, pero el dinero...

—No digas cosas raras. ¿Con qué te crees que vive aquí todo el mundo? El dinero no te va a disculpar. Te debes casar. No le hagas caso al Matao. A mí también me lo dice.

Celso Quiroga hizo girar la rueda del timón; comentó:

—Vamos dando guiñadas como borrachos. Pon la radio.

—El señor Simón se va a despertar.

—¡Quiá! Anda, ponla.

—Con una noche así no se va a oír nada. El costa la puso para comunicar con el otro barco.

—No sé, entonces déjala. No quiero líos. Tiene una mala uva el costa...

—Y eso que es gallego. ¿Qué piensas del otro?

—De ése ya ni pienso. Un día, cuando me grite en la sacada, le voy a meter una merluza por los dientes. Ese..., ni en la armada he aguantado yo tanto.

Los dos marineros quedaron en silencio. El ruido de la mar daba el contrapunto al son del motor.

—¡Dios, qué noche! —dijo Celso—. Comenzamos bien. De este viaje no nos escapamos sin hacer capa.

—Capas hace dos años. Estuvimos frente a Castletown siete días rolando sin poder entrar.

—Así estuvimos nosotros una vez con el «Faorro», de Vigo, que lo llevaba el señor Montenegro, queriendo entrar en Bantry.

Venancio buscaba en la memoria de los aburrimientos y ocios forzados de Bantry.

—Si hubieras visto la borrachera que cogió una vez el Matao en Bantry. Lo tuvimos que llevar arrastrando para el barco. Creí que el señor Simón lo mataba.

—No se hubiera perdido gran cosa; está ya pasado; para poco sirve.

—Tiene dos bicheros, uno para atracar y otro para desatracar. Le ganó por la mano, pero estuvo a punto de que lo anclaran en el muelle para viejo.

Las luces de un barco grande titilaban en la móvil tiniebla. La noche avanzaba sobre el «Aril».

—Lleva el rumbo de Francia —afirmó Celso.

—Cuatro mil toneladas.

Un silencio.

—¿Qué hora será? —preguntó Celso.

—Faltará poco para que se acabe tu guardia.

Nuevo silencio.

—¿El contramaestre habrá revisado las ataduras de los aparejos?

—Claro.

—Una noche como ésta se lleva las artes al agua.

Silencio. El marinero Celso Quiroga y el marinero Venancio Artola habían agotado los temas de conversación. Se acompañaban. La mar arbolaba. Una gran ola hizo temblar el barco. Vibró el hierro del casco y ellos sintieron la vibración bajo los pies.

—Éstas pasan.

—Sí.

—La que no pasa...

Venancio Artola estaba pensando, casi soñando. En Bermeo los barcos de pesca se balanceaban en el muelle. Al anochecer los pescadores habrían reforzado las amarras. Las farolas del puerto estaban envueltas en una gasa de agua. En la taberna de Francisco se discutía. Alguien hablaba de una mala noche en el Atlántico Norte, yendo tal vez al bonito, tal vez a la merluza, tal vez al bacalao. Cien millas, quinientas millas, mil millas de lejanía. La distancia no hacía al caso, era la pesca la que la marcaba. Todos escuchaban. Los barcos de pesca seguían balanceándose. La amarra gastaba el carel de un sardinero. Luego a cenar. A casa, aprovechando los grandes aleros para no mojarse. Corriendo, parándose, frotándose las manos: «Jo Antón qué nochesita, qué nochesita... Bueno.»

—Nunca hay buen tiempo en Gran Sol — dijo Celso —, lo hay menos malo.

—Ya.

Paulino Castro estaba a la puerta del rancho de popa, hablando en voz baja con el contramaestre Afá y Macario Martín, que estaban tumbados en literas altas. Había seis literas que formaban una u abierta hacia la puerta. A la derecha, en la de abajo, dormía Manuel Espina; arriba, el Matao. Enfrente, la de abajo, estaba sin ocupar, arriba dormía José Afá. A la izquierda dormían Juan Arenas y Gato Rojo, Macario Martín, con los pies descalzos, daba golpes contra el techo intentando matar las moscas, torpes y pequeñas, que descansaban sobre la estampa de madera esmaltada de blanco.

—Matada — dijo Macario Martín.

—Usted ve, usted ve, patrón, lo idiota que se está volviendo este hombre — hablaba alegremente el contramaestre —. Pero,

Matao, que así acabas en un manicomio, que eres de chiste.
Macario Martín se volvió hacia Afá.

—Sin insultar, José, que luego tú no aguantas una broma.

—A ti no te aguanto nada porque no me da la gana.

El ceniciento rostro de Macario Martín se arrugó.

—Bueno, no tengo por qué aguantarte. Si no quieres que rompamos las amistades, cállate.

Continuó en su labor de matar moscas con las plantas de los pies. José Afá explicó al patrón de costa:

—Sabe usted que este perturbado estuvo sin hablarme durante dos viajes. Yo le hablaba y como si oyera llover. Me tuve que vengar.

Hablaba siempre entre ingenua y socarronamente. Macario Martín comentó:

—Gracioso.

—Me tuve que vengar — dijo Afá — porque no hay quien lo aguante. Cuando se le acabó el tabaco, que siempre se le acaba antes que a ninguno. ¿Cómo te arreglas para que se te acabe tan pronto, Macario?

—Doy, cosa que tú no haces ni con tu padre.

—Cuando se le acabó el tabaco... — Calló un momento, puso cara seria y sacó voz grave —. A ver si me dejas la familia tranquila, Matao... — Continuó —: Le daba de vez en cuando un pito para que le entrara el sincio, cuando le entró el sincio dejé de darle tabaco y andaba por el barco como un fantasma; le perdió el gusto hasta al vino.

El sincio de la marinería santanderina, por las antiguas pícaras parlas de Puerto Chico, por el trabajo de carga y descarga de las machinas, por la holganza de las tabernas del poblado de pescadores, precisa el apetito desazonante de los vicios pequeños.

Paulino Castro se reía. Macario Martín tenía a la terminación de su catre un ojo de buey. Junto al ojo de buey el recorte de una dama de calendario en traje de baño. Acarició con el pie la figura. Afá hizo la gracia acostumbrada:

—Que la matas, Macario.

—Calla ya y pásame la botella — dijo Macario Martín.

Las botellas de vino colgaban de las literas, atadas con cuerdas. Con los balances del barco golpeaban contra los tubos de hierro.

—Bebe de la tuya.

—Calla ya y pásame la botella, hablador.

José Afá le pasó la botella.

—No bebas mucho, Matao.

Macario Martín hizo una pausa para beber. Tras beber movió repetidamente los labios en un saboreo de entendido.

—Este vino se te va a picar, José.

Extendió las piernas.

—Patrón, este ojo de buey cierra mal, se filtra el agua. Tengo la colchoneta húmeda.

Saltó la broma fácil del contramaestre.

—Te habrás meado. Como ya no te controlas.

Paulino Castro se sentó en uno de los baúles, que asomaban bajo las literas cinchados a las barras de hierro para que los balances no los moviesen. Manuel Espina se estropeaba la vista leyendo un librejo de la colección «Rodeo», a la pobre luz de ordenanza. Juan Arenas estaba de guardia en el motor y Carmelo Álvarez trabajaba en el tallercito, doblando alambres para hacer una huevera. Manuel Espina galopaba por los amarillos de Arizona.

Macario Martín comenzó a contar una historia de un temporal frente a la Estaca de Bares; fue interrumpido por José Afá:

—¿Por qué no le cuentas al patrón el cuento del golpe de mar?

—No es cuento.

—Anda, díselo.

Medio se incorporó Macario.

—Tú no lo querrás creer, José, pero fue verdad.

—Cuéntaselo. — Cambió de tono el contramaestre y se dirigió al patrón de costa —: Ya verá usted qué bonita historia le cuenta Macario; es la más bonita historia de la mar que he oído en mi vida.

En la voz de Paulino Castro había un vago timbre de orden.

—Cuéntala, Macario.

Se volvió a incorporar Macario Martín. Dijo con desgana:

—Tú, José, creerás que es mentira, pero sucedió. No la cuento. No quiero choteos.

El contramaestre comenzó la historia de una forma grotesca; miraba a Macario.

—El capitán Matao había dicho al hombre del timón: «Mantén el rumbo y no temas nada». Después se fue a su camarote a reposar.

Hizo una pausa. Preguntó:

—¿Te fuiste a reposar o a beber vino, Macario? Bueno, pues se fue a beber vino, mientras la mar iba creciendo. Creciente, creciente y se rompe la cadena del timón. El transatlántico iba sotaventeando mal. En cuanto se quedó sin gobierno le entró el miedo a todo el mundo. Capitán Matao por aquí, capitán Matao por allá. Y el capitán Matao, sereno, seguía reposando. Subieron todos a cubierta, y en esto, patrón, que un golpe de mar... Bueno, cuéntalo tú, Matao...

Macario Martín explicó:

—Aparte del cachondeo de este gracioso...

El contramaestre dijo muy finamente:

—No me cachondeo, Macario, cuento tus aventuras. A ver si no es verdad que fue así. Todos en cubierta y un golpe de mar que enloquece el barco. De pronto el capitán Matao, que ya no estaba reposando, sino en cubierta, como cualquiera, le dice al segundo: «Segundo, baje a ver lo que ha pasado en las máquinas, que me parece que algo va mal». El segundo va a bajar por una escotilla y se vuelve, temblando, hacia el Matao: «Capitán, el golpe de mar se ha llevado el casco y debajo de nosotros no hay más que agua».

El contramaestre se reía a carcajadas.

—Fíjese, patrón, debajo del espardel estaba la mar. El capitán Matao y sus mil hombres navegando en una almadía.

Paulino Castro se golpeaba las rodillas con las palmas de las manos. Dominó la risa.

—¿Y eso dónde te ocurrió, Macario?

—Eso —dijo Macario— fuera de que este carajo de río lo ha contado como le ha dado la gana, mi palabra de honor, se lo juro por mis muertos, que le ocurrió al barco «Chiclana» de Cádiz en la travesía del Estrecho con muy malos tiempos.

Eso no lo he visto yo, pero me lo han contado cuando estábamos con la pareja en Cádiz.

La risa del contramaestre ocupaba todo el rancho. Manuel Espina dejó de cabalgar por los amarillos de Arizona. Dijo:

—¿Es que no se va a poder ni leer?

En las máquinas Juan Arenas y Gato Rojo hablaban a gritos. Roneaba el motor, batía la hélice, la mar golpeaba los costados en un chapaleo violento. Las chapas de la cala resbaladizas y sucias de gasoil y la grasa, zumbaban con el tiemblo de la marcha. Juan Arenas subió por la escalerilla hasta las pasaderas del rancho y el beque. Tenía colgada la botella de vino de la agarradera de la escotilla. Se largó una cintura de vino.

—Gato Rojo, ¿quieres?

Repitió el viaje y dejó colgada la botella.

Gato Rojo doblaba, ayudándose de unos alicates, los alambres de cable para hacer la huevera. Estaba muy atento a la labor.

—¿Quieres un trago? — dijo Arenas.

—Luego.

—Mañana hay que comer bonito, hay que tirar unas líneas a los peces.

—¿Con esta mar? Como no cambie el tiempo. Como no venga un recalmón.

—Vendrá, no es mes de malos tiempos largos.

Juan Arenas se apartó de Gato Rojo, canturreando. Echó una ojeada a los manómetros. Juan Arenas malcantaba a los cuarenta y tres años, quemada la voz por el vino, el tabaco y los hornos de los bous antiguos. Aún le quedaba un hilo y una manía por el flamenco y los tangos. Al canturrear imitaba los dejos andaluces de los espectáculos folklóricos: Sensillo, quisiera ser marinero, caunque difisí é sensillo, en un barquito velero, pintaíto de amarillo, qué de mi compare Piñero. Le podía el fandango y lo comenzó de nuevo. Lo interrumpió para maldecir. No subía el aceite por el tubo del manómetro. Llamó a Gato Rojo.

—Tú, que no sube el aceite.

Los dos engrasadores estuvieron un rato probando en la manecilla. Gato Rojo solucionó el caso:

—Llama a Ventura.

—Se va a cabrear si está durmiendo.

—No duerme, está leyendo novelas —bajó la voz —. Esta noche, en el barco, el único que duerme de verdad, sin importarle los balances, es el señor Simón y, claro, ese lastre de Ugalde. Los demás están como las merluzas, con un ojo en la superficie y el otro en el fondo.

—¿Qué dices?

—Que llames a Ventura.

Domingo Ventura dormía en un camarote pegado al rancho de los engrasadores. Solía tener la puerta abierta y pasaba los viajes echado, leyendo novelas o durmiendo. Juan Arenas subió por la escalerilla. Llegó hasta la puerta del camarote.

—Ventura.

Domingo Ventura contestó perezosamente.

—¿Qué pasa?

—El aceite, que no sube.

—¿Has mirado el codo de entrada?

—Sí.

—¿Y la manecilla que se suele agarrotar?

—Sí.

—¿Y has golpeado la pared del depósito por si los posos...?

—Sí.

—Bueno, pues ya voy.

Bajó Arenas a las máquinas. Al rato, apoyado en la barandilla de la pasadera, galbanosamente, Domingo Ventura ordenaba lo que debían hacer. El aceite ascendió por el tubo.

—¿Ya está? — preguntó Ventura.

—Sí.

Todavía se quedó unos minutos en la pasadera, sin decidirse a volver al catre. Luego se quejó:

—Eso de ahí abajo está muy sucio, a ver cuándo lo limpiáis. A ver cuándo echas un par de horas limpiando eso, Juan.

—Cuando comience la pesca.

—Bueno.

Arrastrando los pies, se volvió Ventura a la litera. Se quitó los zapatos y se tumbó en la colchoneta. Cogió una vieja revista gráfica, la sostuvo entre las manos, la dejó abierta sobre su vientre y cerró los ojos. Gato Rojo doblaba alambres para hacer la huevera. Juan Arenas canturreaba mientras frotaba con un cotón los indicadores del motor.

El patrón de costa se obcecaba en sus opiniones. Discutían con él los tres ocupantes del rancho de popa. El patrón de costa manoteaba nervioso. Afá estaba sentado con las piernas colgando fuera de la litera. Macario Martín se limitaba a dar patadas en el techo y hacer signos negativos, distraídamente, con el dedo índice de la mano derecha. El engrasador Manuel Espina, que había hecho algunos años de la carrera sacerdotal, aplicaba silogismos.

—Usted dice que el patrón de costa es el que manda el barco. Bien. Pero el patrón de costa hace lo que le dice el primer patrón de pesca de la pareja. ¿No es eso? Pues entonces el patrón de costa no manda el barco.

—No, señor, el que manda el barco soy yo porque si yo quiero ahora mismo no vamos a Gran Sol, sino a España, aunque luego tenga que responder en la Comandancia de lo que he hecho.

—Pero usted no se vuelve a España sino que va donde el pesca dice. Lo mismo al Petí Sol que al Jones o al Melville, luego usted no manda el barco.

Paulino Castro discutía siempre sobre su autoridad en el barco. Los marineros no se conformaban con la afirmación de que él era el que lo mandaba. Los marineros se ajustaban al trabajo. En el trabajo mandaba el patrón de pesca, pues aunque el que condujese el barco fuera el costa, el que mandaba de verdad era el pesca.

El contramaestre Afá ponía ejemplos que aumentaban la confusión, haciendo la discusión un grito conjunto, una suma de monólogos violentos, una disparidad total de opiniones, con la que todos se entretenían.

—Sí, por ejemplo, patrón...

Pero Paulino Castro no escuchaba, explicaba a Manuel Espina que a su vez explicaba a Macario Martín, que pretendía atender a su amigo Afá, mientras con los dedos hacía signos negativos a Paulino Castro.

—Sí, por ejemplo, patrón, un suponer, usted dice que el patrón de pesca no manda nada, ¿con quién se las entiende usted, con el armador o con la Comandancia...?

—Yo mando en el barco, él manda en la faena, pero yo puedo llevar el barco donde me da la gana porque yo soy el responsable de lo que suceda a bordo.

—Mira, Macario, esto es como si tú, que estás de cocinero, bajas a las máquinas estando yo de guardia...

—Que no, que no... el que manda soy yo... Si, por ejemplo, usted... si el costa dice una cosa y el pesca otra...

Apareció Domingo Ventura en el hueco de la puerta.

—¿Qué pasa? — preguntó —. ¡Qué gritos!

Intentaron explicarle el asunto. Fue tomado por juez. Cuando se enteró, dijo:

—El patrón de costa tiene razón. Yo mando en las máquinas y él manda en el barco. Ahora bien, el patrón de pesca es el que manda en la faena de pesca, es decir en la pesca exclusivamente.

Macario Martín terminó con las razones vagamente jurídicas del patrón de costa, con las afirmaciones del motorista.

—Entonces, ¿a qué vamos a Gran Sol, a dar un paseo con el barco o a sacar peces?

—Con vosotros no se puede hablar porque sois unos burros — dijo Paulino Castro.

Y los dos incomprendidos, los dos jefes, se aislaron de la conversación general, mientras ésta coleteaba todavía en bocas de Espina, de Macario y del contramaestre.

La huevera de Gato Rojo era un prodigio de artesanía. Juan Arenas la contemplaba entre sus manos.

—Así no se romperán y los podré contar todos los días. Llevaré bien la cuenta por si alguno me quita...

—Yo sólo te cogí una vez un huevo, y te lo dije, Carmelo.

—Ya... si yo no digo.

El pito del tubo acústico sonó largamente.

—Que suba el patrón, que lo llaman desde el otro barco.

Juan Arenas ascendió precipitadamente la escalerilla y corrió por la pasadera.

—Patrón, que le llaman desde el otro barco.

Paulino Castro abandonó el rancho de popa. El motorista comenzó a discutir con el contramaestre. Manuel Espina volvió a galopar por los amarillos de Arizona. Macario Martín pasó sus desnudos pies por el recorte de la dama del calendario y entornó los párpados suspirando suavemente.

Roló el viento al nordeste. Había dejado de llover y se había hecho una clara en el cielo. Se veía un apretado cardumen de estrellas. Al sudoeste las agrillas luces del «Uro» hacían la mar honda en el enfile. Llamó Paulino Castro por la radio.

—Aquí Aril, Aril, Aril, Aril... Llama Aril a Uro... ¿Qué pasa? ¿Qué pasa? Cambio.

Como un zumbido se oyó la voz del patrón de costa del «Uro» en su respuesta.

—Uro, Uro, Uro, Uro... Uro a Aril, Uro a Aril... Las toberas, Paulino, media hora. Estamos al garete, acercaos. Cambio.

Paulino Castro barbarizó por el micrófono, luego dio una orden:

—Venancio, todo a babor.

Marcó en el telégrafo: Avante. Media.

Sopló en el tubo acústico y ordenó:

—Ciento ochenta, Arenas.

Juan Arenas contestó:

—Ciento ochenta.

Se abrió la puerta del cuarto de derrota y apareció Simón Orozco, descalzo, la pretina del pantalón suelta.

—¿Por qué cambias el rumbo?

Paulino Castro contestó de mal humor.

—Las toberas del motor del «Uro».

Barbarizó Simón Orozco. Su gran humanidad cubría el hueco de la puerta.

—Vagos — terminó —, eso hay que mirar en puerto antes de desatracar.

Las luces del «Uro» se acercaban por el enfile de la proa del «Aril». De nuevo zumbó la radio.

—Uro, Uro, Uro, Uro... Uro a Aril...

Simón Orozco se volvió a la litera. Se extendía la clara en el cielo. Se distanciaban las estrellas. Paulino Castro abrió el ventanillo de babor.

—Nordeste bueno — dijo.

Venancio Artola se fue al dicho.

—El nordeste del sábado no llega al lunes, patrón.

Repetía la voz zumbante de la radio.

—Uro, Uro, Uro... Uro a Aril.

El «Uro» delante de la proa del «Aril» se arronzaba un punto con la marejada.

Nordeste claro, nordeste quirriquirri. Hervía la mar; rojeaba, empañado, el sol. Malos tiempos en Tearaght, Great Skelling, Bull, Fastnet, faros de Irlanda. Galbarra en Machichaco. Malos semblantes en Igueldo. En Cabo Mayor la mar blanca, cortada de una franja negra hacia el norte. Por Finisterre sol con barbas, viento con aguas.

Paulino Castro se aburría en el puente y salió hacia popa por el espardel. El contramaestre, Macario Martín y Juan Arenas estaban a la cacea del bonito. Domingo Ventura fumaba y mecía la pereza sentado en una banqueta, contemplando.

—¿Habéis sacado alguno? — preguntó Paulino.

—Dos, patrón — dijo Macario —. Pero van a caer bastantes. Mire la mar.

Por popa, en la estela blanca, cruzaba la selguera aumentando el hervor de las aguas.

—El otro barco lleva lo menos una docena — dijo Afá.

El «Uro» navegaba casi paralelo al «Aril» a media milla.

—Prepara bien las ventrechas — dijo Paulino.

—Sí, patrón — respondió Macario.

—Las ventrechas las voy a preparar yo porque éste no sabe, las quema — dijo el contramaestre.

De pronto la línea de Macario dio un tirón. Gritó Macario.

—Parad la máquina, parad la máquina.

Se dejó de oír el ruido del motor. El barco avanzó suavemente. Afá se escupió las manos, entregó su aparejo a Domingo Ventura y comenzó a tirar de la línea de Macario. Se animaban con voces.

—Hala, hala, que ya está.

El bonito chancleteaba por la superficie de las aguas. Juan Arenas, con un bichero en las manos, se apoyó en la aleta por estribor. Tiraba mucho el bonito. Paulino Castro animaba desde el espardel.

—Venga, arriba, venga, arriba.

Al primer golpe de bichero, Juan Arenas no acertó. Después izó el bonito a bordo. El contramaestre Afá gritó:

—Avante.

Paulino Castro repitió la voz cerca de la escotilla de máquinas. El barco reanudó la marcha.

—Buen bonito — comentó Macario.

Las manos de Afá sangraban.

—¡Cómo tiraba el diablo!

El bonito saltaba agonizando en la cubierta.

—Tienen que caer muchos — dijo con entusiasmo Macario —. Muchos.

Paulino Castro miró al cielo.

—Si da tiempo, porque esto lleva camino de ponerse muy mal.

Todos miraron al cielo. Macario Martín fijó la mirada en el sol rojo.

—José, ¿cuántos fogoneros llevará el sol?

No esperó la respuesta. Afirmó:

—Lo menos lleva doscientos fogoneros.

La línea de Juan Arenas se tensó. Gritó.

—Alto la máquina, alto.

Paulino Castro repitió los gritos. El bonito se desprendió del anzuelo.

—Se ha ido; buen viaje. Saludos a tu madre, mozo — dijo Arenas.

Juan Arenas comenzó a cobrar el aparejo. Paulino ordenó por la escotilla:

—Avante.

En el rancho de proa, estribor euskaldún, babor galaico. Juan Ugalde y Venancio Artola por los murmullos de su idioma, hablando de mejores fortunas. Juan y Celso Quiroga por las romanceadas suavidades de su lengua, quejándose a mala palabra de la vida del pescador. En el rancho de proa, unidad de opinión sobre la plata.

En el puente, aburrimiento de la guardia al timón. Joaquín Sas — el ojo al rumbo: N 26W, el pensamiento a costa — silbaba por silbar, cantaba por cantar, imaginaba por imaginar. En el cuarto de derrota el patrón Simón Orozco tomaba experiencia olvidada de su cuadernillo de notas. Por años, por meses, por días, las pesquerías de su vida. Los pulsos de la mar en cifra y letra. Subió la merluza a las playas adelantándose en veinte días al año anterior. Barco hundido en Melville. ¡Cuidado el arrastre por los filos del banco! Cambio de corriente en Parsons. La merluza baja a los espigones franceses. El besugo, mal. Cajas: 70, 80 100. Cajas, 7, muy mal. Los tantos por ciento a la izquierda en columna aparte. Simón Orozco, echado en su litera, calculaba la moneda que lleva, cada ola, si salía cara, si salía cruz; calculaba en la rosa de los vientos como en una ruleta, y dejaba opinión en su rolar. Sudeste bueno o sudeste malo, según qué banco, qué sondaje, qué marcha, qué aparejo.

En las máquinas Gato Rojo construía hueveras para sus compañeros Arenas y Espina. Domingo Ventura había visto con malos ojos que no contara con él para el asunto de, las hueveras. La venganza fue la orden de arranchar máquinas antes de que comenzara la pesca. Gato Rojo, cuando quería, se quedaba sordo, del son del motor. Lo pensó: No doy coba ni a mi mismo padre, quien quiera una huevera que se la haga. Yo las hago para los que me las piden por favor.

En popa no se volvió a pescar en una hora y Macario Martín se cansó de sostener su línea. Fue a la cocina, con la orden expresa de Paulino Castro de que le reservara una ventrecha de bonito, pero que no se la preparase. Macario pensó que su falta de tino en la cocina le evitaba trabajos. Se dedicó a preparar la comida de la tripulación, porque llegaba el mediodía.

A mediodía siete hombres se acomodaron en el espardel en torno de la gran marmita. Cada uno tenía su pan, su vino, su cuchara. El patrón de costa Paulino Castro preguntó:

—¿Se ha separado para la guardia?

De guardia al timón estaba Juan Ugalde; en máquinas, Arenas. El Matao respondió:

—Sí, patrón.

—¿Les has servido bien?

—Sí, patrón. Más de lo que nos toque a nosotros.

La ley de la mar se precisaba meticulosa en el respeto de las guardias. Paulino preguntó:

—¿Falta alguien?

Replicó el contramaestre:

—Domingo Ventura no quiere comer. Manuel Espina está en popa pescando y se le ha separado pre. A Gato Rojo no le gusta el bonito.

Paulino Castro se quitó la boina. Le imitaron los que estaban cubiertos. Paulino extendió la mano derecha sobre la marmita e hizo el signo de la cruz. Dijo.

—A Jesús. Coman.

Todos esperaron a que el patrón metiera la cuchara en la marmita. Luego, por riguroso turno, evitando molestarse en la apretura del corro, fueron cogiendo el bonito con patatas. Comían con parsimonia, con nobleza, con hambre. El patrón los animaba de vez en vez.

—Coman, coman.

El contramaestre Afá dio su asentimiento a la comida.

—Está bien, Matao, a ver si te conservas en forma hasta que acabe el viaje.

El Matao sentía una holgura interior por el elogio. Explicó lo que era el oficio de cocinero.

—Ser cocinero en un barco es lo peor que se puede ser en el mundo. Cuando está bien la comida, nadie te dice que está bien; cuando está mal, todo va por la borda y todos dicen que mal. Encima, para todos, eres un ladrón el día que dices que se ha acabado el aceite o que no hay cebollas.

Joaquín Sas miraba de reojo al Matao. Joaquín Sas llevaba mucho amargo en el cuerpo.

—Tu obligación es hacer las cosas bien — dijo —, no hacer las porquerías que sueles hacer. No tienes por qué estar orgulloso para una vez que lo haces un poco regular.

Terció Paulino Castro:

—No lo hace tan mal, Joaquín. A ti te quisiera ver yo de cocinero.

—Para hacerlo como éste, seguro que servía — fue la respuesta de Sas.

El contramaestre Afá tenía ganas de divertirse.

—Pero, ¿no le contestas, Macario? Tú que no te callas ni

con pez en la boca. Pero, ¿no le contestas? ¿No ves que te está dejando en ridículo?

Macario Martín le dio un trago a su botella.

—¿No puedes dejarme en paz, José?

El viento tiraba a brisote. Crecía la mar. Por barlovento, en el horizonte blanco, se recortó una vela roja. El primero que la vio fue Macario. Dijo:

—Un pití.

De la isla de la Croix, de Lorient, de La Rochelle, salen a la mar los veleros del bonito, aparejados en balandra, con las velas coloreadas. Ocho hombres, dos meses de mar.

—Esta tarde veremos muchos — dijo el patrón de costa —. Y mañana barcos grandes, cuando cortemos la línea del Paso de Calais. La gente de los pitís sí que es marinera.

—No embarcaba yo en ésos — dijo Joaquín Sas —, ni con soldada doble.

El pití cogía bien el viento. Se acercaba. Se le veía el casco, a medias.

—Viene a nuestro rumbo. Hacen tanta marcha como nosotros — dijo el patrón de costa —, en cuanto cogen un buen viento. Cuando no hay viento, siesta, y cuando hay malos tiempos, disgustos. Esa gente sí que es marinera.

—Durante la guerra — dijo Afá — se abarloaban muchas veces a nosotros. Se han hecho negocios con ellos...

Macario Martín interesó a todos mostrando sus conocimientos de la pesca en los pitís.

—Pescan a la cacea como nosotros, con esas perchas — hizo una pausa y señaló al pití —. Esas perchas que salen, ¿no las veis? Ya a bordo el pez, lo sangran y lo ponen a oreo bajo unos toldos, que no les dé el sol, porque se pica la carne; solamente los vientos. La carne, yo la he comido en Francia, es mejor que mojama y más blanca.

—Eso es estropear el bonito — afirmó Sas.

—Tú qué sabes, tú a comer rayas y pintarrojas que es lo que les gusta a los de tu pueblo. Tú qué sabes, si no has visto el mundo por un agujero.

La edad, la experiencia, el menosprecio que ejercía Macario con sus palabras se imponían. Joaquín Sas se desconcertó, buscaba respuesta. Macario Martín se le iba una y otra vez como una mala mar.

—En cuanto uno se calla por educación y no contesta a las pijadonas que decís, lo tomáis por popa. Pero tú qué sabes, si yo puedo ser tu padre y debías de comenzar por tratarme con respeto y por aprender lo que yo digo por si algo se te quedaba en ese pañol vacío que tienes por cabeza. Pero tú qué sabes...

El tono agrio de Macario Martín había aumentado. A veces le daba un arrechucho de mal humor, cuando se sentía despreciado, cuando se cansaba de las bromas, cuando alguien se pasaba en el tono del trato de bufonadas. Macario Martín sacaba sus veintisiete gatos hambrientos — según su amigo el contramaestre — y se los echaba recién escaldados a la víctima. Entonces lo mejor era callar.

Intervino el patrón de costa:

—Vamos, vamos, Macario, lo único que ha dicho Joaquín es que le parecía que eso era estropear el bonito.

Macario Martín no escuchaba. Dijo:

—Con cuarenta años en la mar, me van a venir los grumetes dando lecciones. Digo grumetes, grumetes he conocido yo que sabían más de mar que todos vosotros juntos — barbarizó por las galletas de los palos arriba —, que todos vosotros que os las dais de marineros que se las saben todas.

El contramaestre no fue afortunado en su intervención.

—Macario, no sigas que los matas a todos.

—Como tú, Afá, tú eres contramaestre de boquilla, por la misma razón que te podían llevar para arreglar estachas. Como tú...

José Afá se enfadó:

—Bueno, bueno, bueno... — hablaba con cierto retintín —. Bueno, Macario, vete calmando que todos tenemos la lengua larga, que todos sabemos decir cosas... Bueno, bueno, bueno, Macario, vamos a olvidarlo todo y a seguir comiendo tranquilos...

Macario Martín comprendió que se había excedido. Buscó alguien con quien compartir sus opiniones. Se ablandó.

—Es que a uno lo sacáis de su rumbo por hacer gracias y luego os quejáis...

El contramaestre Afá miraba a la marmita y movía la cabeza negativamente.

—Bueno, bueno, bueno. Macario, que todos nos conocemos, que todos tenemos nuestros hígados en sus sitios... Bueno, bueno, bueno...

Cortó el patrón de costa con torpeza, con la eficacia de su autoridad.

—Se terminó. Tú, Celso, cuenta alguna cosa.

Aquella discusión hubiera necesitado irse acabando por sí misma. Todos quedaron descontentos y recelosos. Celso Quiroga preguntó:

—¿Y qué quiere usted que cuente, patrón?

De popa llegó, aguda, la voz de Manuel Espina.

—Alto la máquina, alto.

— Arenas — gritó el Matao —, para el motor.

Dejó de oírse el ruido del motor. Macario Martín y Joaquín Sas corrieron por el espardel. Joaquín se descolgó sobre la cubierta del pañol. Comenzó a tirar del aparejo mano a mano con Espina. Macario los animaba desde la barandilla.

—No lo dejéis cobrar un palmo. ¡Hala, hala, hala! Es grande. Cuidado, llevarlo por arriba que chancletee.

Joaquín Sas ayudado de un bichero lo izó a bordo. Cogiéndolo por la cola Manuel Espina lo sopesó.

—Hará siete quilos.

—Por ahí — dijo Sas.

—Pocos más o menos ya hará los siete — corroboró Macario.

Manuel Espina gritó al desgañite:

—Avante libre.

Arenas entretenía el fastidio de la guardia — afretando en vano las planchas de cobertura y cantando por lo bajo: Sensillo, quisiera ser marinero, caunque difisí é sensillo... El fandango repetido una y otra vez, arrastraba los minutos, ocupaba el pensamiento.

—Alto la máquina.

—...en un barquito velero. ¡Ya va! Pintaíto de amarillo...

No había salido bien y repetía el verso, al parar el motor.

—Pintaíto de amarillooó, pintaíto de amarillooó, que de mi compare Piñero.

—Avante, máquina.

Nadie le iba a oír, pero discurseaba.

—¡Ya va! Y a ver si acabáis, que no está aquí uno de pereji-
lero... Pintaíto de amarillooó...

Las guardias de máquinas, en solitario, hacen que un hombre
exprese su pensamiento hablando, combatiendo con las palabras el son monótono y neutralizador del pensamiento que da
el motor.

—Voy a pegarme un golpe de vino — dice Arenas —. Tengo
la boca con sabor a gasoil — dice —. Esto le quita a uno las
ganas de comer — dice.

Subió la escalerilla hasta la pasadera. Descolgó la botella.
Escupió y creyó escupir el sabor del gasoil. Bebió largamente.
Se enjuagó con vino y bajó a las máquinas. Estaba alegre.

—Sensillo, quisiera ser marinero, caunque difisí é sensillo.
Sensillo, sensillo...

Juan Ugalde acariciaba con las palmas de las manos las
cabillas de la rueda del timón. En la guardia del puente se
podía pensar, si había algo en qué pensar, porque si no Juan
estaba al rumbo y distraído con el capuceo de la proa. Juan
Ugalde tenía amplia la mar para pensar, para lanzar el pensamiento hacia el horizonte. Pensaba que su patrón Simón Orozco
se había equivocado. Había estado de chiquito en los barcos yanquis. No sabía cuánto, pero sí mucho tiempo. En los
barcos yanquis le iba bien, ¿por qué se vino? El patrón Simón
Orozco se había equivocado. Él no hubiera vuelto. Para andar a
la mar lo mismo se anda en barcos yanquis que en los barcos de
Pasajes o de donde sea. Pero en los barcos yanquis se gana buen
dinero, muy buen dinero, que no se gana en otro sitio, y se
come bien, muy bien, y se puede guardar para cuando se deje
la mar y poner un bar o comprar un sardinero o casarse en
América con una rubia de perras, fea y sin tetas, pero de perras.
Así dicen los que han estado en Nueva York y los pelotaris que
han jugado en el sur, en Miami... Luego se vuelve a casa de
visita, acaso con un cochazo. Se puede estar seis meses en el
pueblo gastando, yendo a San Sebastián, a Bilbao, a los toros
de Pamplona, a Vitoria por la Blanca. Se puede ir donde se
quiera, hacer lo que a uno le da la gana. Si le da a uno la gana,
agarra el cochazo y tira para Bilbao a cenar y a lo que salga...

El patrón Simón Orozco, metido en su cuarto, aburrido, a veces rabioso, ¿por qué no se quedó en los barcos yanquis?

Al patrón Simón Orozco, Macario le había subido la comida al cuarto de derrota. Simón Orozco comía a las doce en punto del mediodía, cenaba a las siete y media de la tarde «hora de Grimbich», decía Macario. «Hasta para hacer del cuerpo, diez de la mañana, hora de Grimbich», decía Macario. Simón Orozco nunca ponía reparos a la comida. ponía reparos a la hora. Si Macario se descuidaba y no eran las doce en punto o las siete y media en punto, cuando subía la comida, Simón Orozco le decía pocas, pero ofensivas, humillantes, agrias palabras. Macario bajaba a la cocina barbarizando. El fisgón de turno echaba sal en las llagas.

—¿El señor sultán te ha dado el puntapié que te prometió?

La imaginación escatológica de Macario Martín abría nuevas rutas al comercio carnal, prostituyendo la fauna submarina, ensuciando el nombre del patrón letra por letra. El fisgón de turno quedaba satisfecho y se iba a los ranchos a contar las creaciones de Macario Martín.

Simón Orozco escribía el borrador de una carta. Abiertas las piernas, apoyado sobre la mesa, cansaba el pulso en la dificultad de escribir cargando el peso en el brazo para no perder el equilibrio en los balances. Escribía a un amigo. La carta le costaba cuatro borradores. Los cuatro borradores le ocupaban los ocios de los días sin faena en el viaje. Dos borradores al ir a Gran Sol. Dos al volver. La carta definitiva en el bar de la Lonja, ya en puerto. Cada viaje una carta: a veces al amigo de Barcelona, a veces al amigo de Bilbao, a veces a su mujer, por si los días de descanso en puerto no daban margen para visitarla. Cuando iba a ver a su mujer y a sus hijos a Pasajes o a Elanchove, iba por cuatro días, solamente por cuatro días, únicamente por cuatro días; la mar tiene su tajo.

Escribía con una caligrafía de colegial. En las mayúsculas se esmeraba en el arabesco y ponía especial atención en las volutas de los rasgos terminales. En el texto no había ni arabescos ni volutas. El texto era sobrio y enjundioso. A veces corría la pluma en un rasgueo no previsto producido por un balance del barco. Simón Orozco lo arreglaba añadiéndole una espiral o lo tachaba con rayitas hasta su cálculo caligráfico. Dejó la

pluma en el tope de una regla para que no cayera al suelo y
taponó el tintero, de tinta aguada, que sostenía con la mano
izquierda. Simón Orozco descansó apoyado por la cintura en la
mesa del cuarto de derrota, contemplando la mar de proa por
la puerta abierta. Dijo algunas palabras en vasco a Juan Ugalde, que volvió la cabeza, afirmando. Luego cogió la petaca y,
sonriendo, comenzó a liar un cigarrillo.

Gato Rojo socorría la pesada conversación con Domingo
Ventura ocupando las manos en encordar el mango de un cuchillo. Estaba echado en su catre. Domingo Ventura ocupaba
el de Manuel Espina y le revolvía las novelas que guardaba en
la taquilla de la cabecera.

—¿Qué tal ésta?

—¿Cuál?

Le mostraba Domingo la cubierta y Gato Rojo se incorporaba para verla.

—No sé, no la he leído. Me aburren esas novelas.

—¿Y ésta?

Gato Rojo se volvía a incorporar.

—No sé.

—Pues ésta debe estar muy bien.

—Seguramente.

—Me voy a llevar estas dos.

Gato Rojo encordaba parsimoniosamente el cuchillo de limpiar pescado.

—Si sacamos mucho bacalao — dijo —, tenemos que echarles una mano a los de proa, porque ha dicho Afá que el que no
trabaje no entra en el reparto de lo que se sale.

—Afá dirá lo que quiera, pero en el bacalao salado tenemos
nosotros tanto derecho como los marineros. ¿Es que no es trabajar lo que nosotros hacemos?

Continuó Domingo, cambiando de conversación:

—Me voy a llevar tres. Ésta, ésta y ésta. Las leo en seguida.
Le dices a Manuel que se las he cogido yo.

—Díselo tú.

—Bueno, se lo diré yo.

—Afá tiene razón. La marea pasada, el único que subió a
cubierta a limpiar pescado fue Espina. Sin embargo, repartieron con nosotros.

Domingo Ventura disculpaba la falta de compañerismo.

—Tú tuviste que trabajar, Arenas igual. Yo tuve que dirigir el trabajo. El único que quedaba libre era Manuel y Manuel fue. Si a uno le queda un rato libre en el trabajo lo lógico es que lo dedique a descansar. No tiene por qué quejarse Afá, que no hace más que hablar y es el que menos taja.

—Podíamos haber subido algún rato, aunque sólo fuera para hacer la muestra.

—¿Y el motor? Cuando se changa, ¿baja alguno a echarnos una mano? Todos vuelan alrededor, sí, para ver, pero en cuanto les dices que hagan algo se escapan. No, no tiene por qué quejarse Afá.

Gato Rojo había terminado de encordar el mango del cuchillo. Saltó de la litera.

—Voy a darle un filo — dijo.

Domingo Ventura acababa de abrir una de las novelas que había seleccionado y perdía la mirada por sus primeros prometedores renglones. La barata épica de la colección de novelas del Oeste americano exaltaba su imaginación. Domingo Ventura, echado en un catre, fumando un cigarrillo y con una novela que abundase en fuegos de revólver y luchas cuerpo a cuerpo, era el hombre más feliz del barco. Domingo Ventura se acomodó en la litera de Manuel Espina, cruzó las piernas, después de haberse sacado con un movimiento mecánico los zapatos, encendió un cigarrillo y una gran felicidad le invadió.

Se afoscó el cielo. Amainó el viento. El sol cambiaba en la bruma: rojo a naranja, naranja a limón, limón a color de vientre de pez, hasta que su círculo tan patente, tan recio bajo el cielo y sobre la mar, se fue rompiendo, escamando en las aguas y quedando sólo una luz extensa, triste y parigual.

Por el aguaje del «Aril» rumbeaba el «Uro». La mar de vista se estrechaba con la bruma, la mar del peligro se ensanchaba en la confusión de la cargazón de la atmósfera. El pití había cortado el rumbo de la pareja hacia el sudoeste, y era ya una minúscula mancha roja perdiéndose en la lejanía. Por el onduleo de las aguas volaban rasando los petreles. Los petreles chupaceites: «negra la pluma, negro el augurio, negra y bien negra la mar que los parió», dice Celso Quiroga. Los petreles o martinas que no temen los malos tiempos, que «chivan los malos tiempos cuando van a sorber los sebos, y aceites de la estela», dice Macario Martín. Las fardelas que señalan las selgueras habían desaparecido con la selguera. Las ligareñas cuqueaban con los petreles trenzando y destrenzando sus vuelos a popa. El pájaro coprófago, el pájaro cágalo, perseguía ligareñas y petreles buscándose la comida. «El cágalo es como un carabinero del culo», dice el contramaestre Afá.

La tertulia de popa, sobre los aparejos en el saltillo, contemplaba la mar y los pájaros de la mar. Al nordeste, al rumbo de sus juegos, perseguidos y perseguidores los delfines saltaban, alegrando la vista. Había mucha pereza en la tertulia para preparar el arpón y esperar la ocasión de que los delfines se rascasen las barrigas con la proa del barco. Había una modorra del afoscamiento del cielo que impedía toda acción. Sobre los húmedos aparejos Macario Martín se cambió de lugar dos veces. Apoyó al fin la espalda en la estampa de estribor. Para ver a los delfines alzaba la cabeza sobre la tapa de regala.

En los ranchos sesteaban o leían el resto de los tripulantes. Manuel Espina estaba en su guardia de máquinas. Juan Quiroga tenía el timón. En el cuarto de derrota dormía el patrón de costa Paulino Castro. En el bacalao del puente miraba la mar Simón Orozco.

Los delfines se guiaron hacia el barco para satisfacer los caprichos del juego: salta el delfín, pasa por la proa al barco, sumergiéndose; salta el delfín, y vuelve el juego. Vuelve el juego hasta que la manada se cansa o el arpón sangra la fiesta. Con sangre hay una loca carrera en torno del barco y de la muerte, que hace la pareja del delfín o la madre del delfinillo arponeados.

Ocio a bordo.

Simón Orozco ha encontrado asiento junto a la chimenea, cancha breve del espardel, en un cajón — *Canadian Dry*, que salió una vez prendido en el arrastre y que ha servido de jaula a una paloma anillada hasta que se la merendó Macario Martín. El cajón tiene todavía clavado el trozo de red que impedía la huida de la paloma y una lata de pimientos en la que bebía agua. La anilla fue a las olas y se perdió reluciente como una escama en las verdioscuridades de la mar. «Y van tres», dicen que dijo Macario Martín, mientras se escarbaba los dientes con

una espina larga. Macario Martín, según pensó Orozco, tenía a
veces cosas de portugués.

Pensando en Macario Martín se regocijaba Simón Orozco.
Combinaba las apreciaciones sobre el cocinero: viejo y golfo,
tan viejo y tan golfo; ridículo y valiente, posiblemente en el
barco no había uno tan valiente como Macario; ladrón y honrado a rachas; asqueroso de liviandades, o en los perfiles de
la honestidad a rachas; inteligente o lerdo a rachas; a rachas
el vino de la cerrilidad, de las peores palabras que jamás se
dijeron en barco alguno, de los repentes matones, del aguante
— porque aguante como el de Macario, correa como Macario,
pocos — de las bromas de los demás. ¿Quién entendía a Macario Martín? Simón Orozco lo conocía desde la guerra, lo había
conocido en un bou armado de la flotilla de Euzkadi. Simón
Orozco pensaba que no entendía a Macario Martín. Y sonrió
cuando pensó que el que menos conocía a Macario Martín era
Macario Martín.

A Simón Orozco le gustaba apoyarse en la chimenea. El calor de la chimenea en la espalda y el frescor de los vientos en
el rostro le confortaban. Miraba a la mar que iba tomando un
tono plateado y oscuro, ventrechado dice el pescador, circuido
de natas de bruma. Mirando a la mar, lo mismo se puede pensar que no pensar. Mirar a la mar es como mirar en un espejo
sin ver más que el espejo. Simón Orozco miraba a la mar sin
pensar, sólo atento al tono plateado y oscuro de sus aguas.

En el saltillo de popa, bajo la cubiertilla de la baranda del
espardel, casi se estaba en el muelle sentado en un noray mirando la mar. José Afá tenía en los ojos la picazón del sueño de
contemplar la mar sin objeto y un sosiego interior de dulce aburrimiento. A veces entornaba los párpados para descansar la
vista y daba la cabezada de la siesta, pero se recobraba de
pronto. Celso Quiroga se rascaba por todos los sitios, con un
orden meticuloso: tobillos primero, lenta ascensión hasta la
cabeza y vuelta a empezar. Cuando encontraba una zona de
fuerte picor se rascaba desesperadamente produciendo con la
boca un ruido de absorción. Macario Martín estaba respirando
hondo, con los labios fruncidos, atenta la mirada, viva la mirada, a la mar, a los aparejos, a Celso, a José Afá, al agua que
se escapaba por los imbornales y que corría por el regato de la

cubierta de la obra muerta, al palo de popa — árbol de eterno vaivén — y a las crenchas de bruma por los cielos.

Habían coincidido los cambios de guardia del motor y del puente. Manuel Espina estaba acompañado de Gato Rojo, que se ocupaba, después de haber afilado su cuchillo, en arreglar el tornillete de una llave inglesa. Juan Quiroga dormitaba sobre el timón como los pájaros arrendotes sobre la mar.

En los barcos de fuegos, los paleadores del carbón saben que hay un alma asesina en la multitud de las llamas. De los barcos de velas se sabe, que el viento en un mal calculado impulso de gigante, en el punto donde la fuerza bruta se hace fuerza de muerte, rompía los equilibrios milagrosos de las naves, abriendo la estela de los naufragios. En los barcos de motor no hay mitología de la fuerza.

En la bitácora habita el duende caprichoso de los rumbos que no se ajusta más que a la llamada de los polos. Danza, danza y danza más. Nada arriba, nada abajo. Salta como los delfines, vuela como los albatros; duerme con los ojos bien abiertos, vela con los ojos cerrados; se mece emperezado, corta paralelos, brinca meridianos. En el carrusel de la rosa de los vientos, de los rumbos, en la rosa náutica, en la aguja, habita el duende de la inquietud del hombre. El duende que gasta el corazón del marinero en el juego de sus treinta y dos caprichos principales.

Se mece emperezado el duende de la bitácora. El «Aril» sigue su rumbo. El casco de la caja de bitácora está en un rincón del puente, junto a la garrafa de vino de Simón Orozco. El casco de la caja de bitácora es como una escafandra preservadora de la siempre lozana rosa de los vientos. Juan Quiroga ha quitado el casco para ver mejor los rumbos, pretextando la mala luz de la tarde brumosa, pálida y falsa. En la rosa había reflejos y sombras.

A estribor el armario de la sonda eléctrica, a babor el armario de la radio. Junto a la sonda eléctrica el cuadro de mandos de las luces de a bordo. Un boquete en el techo en el que hubo un viejo compás que se observaba en la mesa de la caja de bitácora por un espejo. Los imanes en rojo y azul de las correcciones magnéticas en torno de la caja, prendidos en la mesa. Parte desigualmente el piso del puente la cadena del juego de la rueda del timón, untada de grasa, que sale a los bacalaos y baja a la cubierta, en una continuación de varillas de hierro, hasta popa.

En el puente no hay objetos sobre los que se pueda entretener la mirada. Los ojos del aburrido de la guardia sólo repasan cosas funcionales: la bitácora y la sonda. El oído del hombre de la guardia sólo está atento a ruidos funcionales: timbres de máquinas, avisos de máquinas y radio.

Juan Quiroga abre los ojos y, cansadamente, mueve la rueda en corrección de rumbo. La sestilla de pie seca la boca. Piensa que abajo, en el rancho, los compañeros estarán tumbados, oyendo a alguno de popa, que les visita para charlar, pero que monologa. Juan Quiroga siente la pesadez de la tarde en pequeños dolores articulares, en una leve molestia de la mandíbula inferior, en la gravedad de los párpados y en el vacío de la cabeza, que en otra ocasión ya tendría a amores o a pájaros de buenas fortunas.

El contramaestre José Afá, Macario Martín y Celso Quiroga habían abandonado la popa. José Afá y Macario Martín buscaron los arrimos de las colchonetas para distraer las penitencias de la imaginación, exaltada en el aburrimiento, a la caza de fugitivas sombras de hembras. Se encontraron a Domingo Ventura, que leía bisbiseando. Primero Afá, después Macario Martín, que había largado la mirada lasciva a la dama del calendario, entraron en conversación con Ventura.

—Para ratos así — dijo bruscamente Macario — se necesita una mujer.

La risa de Afá era rotunda de ironía, con un dejo escalofriado de erotismo.

—¿Para qué quieres tú una tía en un barco, salvaje?

—¿Para qué la querrías tú?

Volvió la risa de Afá. Domingo Ventura tendió a la templanza.

—Estáis buenos vosotros. Acabáis de dejar el puerto y estáis ya desquiciados. ¿Qué es lo que hacéis en casa? ¿Es que os tienen a dieta?

José Afá explicó:

—A mí, Ventura, me dan estas rachas precisamente cuando

salimos o cuando volvemos. No sólo por salir o por volver, sino porque como no se hace nada y está uno descansado...

—Bueno, tú, bien — dijo Ventura —, pero éste. Este siempre está igual lo mismo al ir que al volver, que en medio. Lo mismo trabajando que sin trabajar. Lo mismo por la mañana, que al mediodía, que por la tarde, que por la noche, que con frío que con calor. — Hizo una pausa. — Porque tú, Macario, eres un tío salido, un tío cerdo que no piensas más que en eso.

Macario Martín se sentía halagado, sonreía satisfecho.

—Que soy un macho.

—Todo lo tuyo es parla — afirmó Afá —. Mucho hablar y luego nada. Además, que a tu edad...

Se indignó Macario Martín.

—Qué tiene que ver la edad. Yo estoy más joven que tú y que ése. Yo todavía estoy que mato muchas más que vosotros. Tú eres el que hablas de farol...

José Afá pensó en sus hijas y dijo:

—Ojalá.

Domingo Ventura llevó la conversación hacia zonas de calma.

—Me ha dicho Arenas que ha oído al pesca que si pasamos de las trescientas mil en esta marea, el porcentaje que os corresponde sube a doce.

—Mentira — gritó Macario.

Asomó la cabeza Ventura para ver a Macario Martín.

—¿Por qué mentira?

—Mentira — volvió a gritar Macario.

—Di por qué.

—Porque Arenas es lo más mentiroso que conozco, que he conocido, que conoceré en toda mi vida. Es un invento de él para fastidiar. Buenos son los de tierra para subir aquí nada. Las bases y se acabó. Todo lo que diga Arenas es una molida mentira.

—Cuando venga se lo preguntaremos — dijo serenamente Ventura —. Se lo preguntaremos y él te lo dirá.

Macario Martín reclinó la cabeza en el saco que le servía de almohada y sopló fuertemente, significando que ya estaba de vuelta de todas las noticias que pudiera dar Juan Arenas, ya fueran buenas o malas. José Afá no creía en la subida del porcentaje, pero las palabras de Ventura habían reavivado el ascua de su candorosa esperanza.

—¿Y por qué no va a poder ser, Matao, que pasando la marea de trescientas mil pesetas se les ocurra pensar en nosotros?

—Porque no — dijo Macario secamente.

El contramaestre estaba incorporado en su catre, mirando pensativo el suelo del rancho. Dijo en voz baja:

—Pues pudiera ser.

—Quítate eso de la cabeza, José — suavizó la voz Macario Martín —, son veinte o treinta duros más que no van a ninguna parte y que, además, no te darán, aun suponiendo que pesquemos por más de trescientas mil.

Leía Domingo Ventura sin preocuparse de la conversación del contramaestre y el cocinero. A él le preocupaba poco la subida del porcentaje de la marinería y de los engrasadores. Él, como el patrón de costa, cobraba un uno por ciento del total de la pesca. No iba con él la esperanza de un porcentaje más alto.

Afá preguntó a Macario Martín:

—¿No tienes por ahí algún periódico viejo al que se le pueda echar una ojeada?

—Había traído dos, pero me los ha gastado Arenas en el beque.

Afá reclinó la cabeza y comenzó a pensar en sus hijos, en su casa, en su mujer, en lo que importaban treinta duros más que no iban a ninguna parte. Macario notó frío en los pies y se apresuró a cerrar el ojo de buey.

—Hoy vamos a tener jota con este viento racheado.

Con una tijera oxidada comenzó a cortarse las uñas de los pies. Domingo Ventura asomó la cabeza, esperó a que Macario tirase un corte de uña al suelo.

—Marrano.

—Vete a tu catre.

—No te...

Ventura siguió leyendo. La risa de Macario era profunda y ahogada. Macario se sentía contento.

En el rancho de proa Juan Arenas recontaba una historia de la guerra, hablando falsamente de su cobardía, pero en la que

su persona aparecía en los momentos precisos y en los lugares
de mayor peligro.

—...bajaban muertos, helados, y yo al ver aquellos detalles...
El único que le escuchaba era Celso Quiroga. Juan Ugalde
y Venancio Artola hablaban en vasco, cerrando a pares. Joaquín Sas tenía el meollo a los números y a veces intervenía
sin enterarse de la historia de Arenas, cortando las frases.

—Cuento.

—¿Cuento? ¿Cuento? — barbotaba Arenas —. Quisiera que
lo hubieses visto. ¿Cuento? Te lo juro por mi madre. Bajaban
del monte arrecidos de frío, habían estado sin comer cuatro
días. Eso lo he visto yo. Te lo juro por mi madre, Celso, que lo
de Asturias fue así, como te lo digo.

—Cuento — interrumpía Joaquín Sas.

Arenas prescindía de las intervenciones de Sas, aunque quedaba herido en su sensibilidad de fabulador poco convincente.

—Fue el veintitrés de diciembre exactamente, acababa de
recibir yo un paquete de mi mujer con unos jerseys, hacía un
frío... éste — señalaba a Sas — tenía que haber estado allí, éste
que cree que es cuento... Hacía un frío como si te metieran ocho
horas desnudo en la nevera de este barco, así, pero vestido;
a éste, a éste lo quisiera yo haber visto por allá.

—Juanito, almirante — dijo Sas —, deja ya de hablar, que
nos cansas mucho.

Arenas ensayaba un gesto de desprecio. Hacía ruido con la
boca.

—No le hagas caso, Celso — dijo Sas —, todo lo que cuenta
es mentira.

Paulino Castro despertó de la siesta. En el puente conversaban el marinero de guardia y el patrón Simón Orozco. Salió
el patrón de costa. Comenzaba a llover. Llegaba el viento norte
estirado y constante. Cabeceaba el barco. Paulino Castro bajó
a la cocina.

Desde la llegada del patrón de costa a la cocina el fogón
estuvo funcionando sin interrupción. Paulino se preparó la ventrecha de un bonito y se la comió. Afá hizo lo mismo con otra.
Arenas frió unos huevos y se fue a repartirlos en untadas con
sus compañeros los engrasadores. Domingo Ventura merendó
chocolate y pan. Después libó de una lata de leche condensada.

Fue a creciente el viento. La mar se alborotó. Los ojos de buey de barlovento estaban cerrados desde poco después de comer. Se cerraron los de sotavento. Macario Martín echó el pasador al portillo de la cocina.

Anocheció. Todos los tripulantes, excepto los de guardia, se refugiaron en los catres.

Paulino Castro habló un momento por radio con el patrón del «Uro». Dijo:

—Seguid las luces mientras podáis. Creo que despejará pronto, pero nunca se sabe. Si no, al rumbo. A la madrugada espero que cogeremos playa. Hasta entonces.

Paulino Castro se tumbó en la litera. Algún rato salió al puente a fumarse un cigarrillo, con el marinero de guardia.

—¿Cuándo cogeremos playa, patrón?

Paulino Castro aspiró el humo.

—Dentro de cuatro o cinco horas.

—¿Quién tirará la red?

Se encogió de hombros.

—Ésas son cosas del pesca.

El marinero del timón lo pensó un momento, luego dijo:

—Preferiría que fuésemos nosotros, tengo ganas de trabajar.

—Se te quitarán en seguida.

—Sí, pero tengo ganas.

El patrón de pesca Simón Orozco dormía ya cuando Paulino Castro anotó en el cuaderno de bitácora la singladura. Fue rellenando lentamente las casillas: «Variación: 11 50. Rumbo: N 26 W. Latitud: 45° 57' 12" N. Longitud: 6° 11" W. Navegando. 4. Lluvias —8, cubierto —12, despejado —16, chubascos —20, despejado —24, altocúmulos».

Fue escribiendo los renglones de Acaecimientos: «La empezamos sin novedad con viento fresquito del SW y lluvias. 2'20 h. hacemos alto para ayudar al compañero «Uro» que para por falta de toberas para el motor, que le pasamos. A 2'40 h. damos avante. A 7 h. rola el viento NE fresquito y a 12 rola al N y marejada. Situación al Md. por observación y seguimos navegando. Motor con 290 revoluciones. Cogeremos playa a la madrugada. Sin otra novedad la aamos fin.»

Paulino Castro guardó el cuaderno de bitácora, cubrió con

un pañuelo la luz de la mesa de derrota y se tendió en la litera. En el rancho de proa Venancio Artola se desperezó y dijo suavemente: «Ya es mi hora». Las profundas respiraciones de los compañeros ahogaron sus palabras.

IV

A MANECÍA. Viento galeno. Lejano, a proa, cruzaba un mercante aún con las luces encendidas, sonámbulo de la mar. Estaba el cielo despejado, la mar serena. Por el este, horizonte morado; por el oeste, una madeja de oscuridades y claridades lechosas. Punteaban al norte las estrellas postreras; al sur tenía el cielo un empaño que lo hacía cercano, tras el que se adivinaba su profundidad de espejo. Al sur las manchas negras de tres parejas de barcos que se acercaban buscando playa.

El «Uro» y el «Aril» habían cogido el Petí Sol a las tres y media. Aguardaron la amanecida al garete. Se balanceaban sin máquina y su balanceo transmitía a los tripulantes la inquietud alegre de los prólogos de la faena.

En el «Aril», Macario Martín despotricaba en las servidumbres del fogón. Afá había preparado el aparejo en popa, ayudado por Artola. Simón Orozco relevó al timonel y pidió máquina. Comunicó por radio con el «Uro». Hosco y violento, a una mano, hizo girar la rueda, fija la vista en el «Uro». Los barcos fueron trazando un semicírculo hasta que se emparejaron.

Por el este, horizonte corinto. Por el oeste, horizonte mulato. Al norte, cielo blanco. Al sur, cielo envahado. Domingo Ventura dormía como un niño, tripa arriba, abiertas las piernas, las manos sobre el cabezal. Juan Arenas dormía con una respiración de suspiro tangueado. Gato Rojo dormía como un bendito. Un bendito, dice Macario Martín, duerme de su estribor, amurando con el culo y las rodillas, para conservar la serena del sueño.

Los hombres del rancho de proa se desayunaban en la cocina. Mal despertar tuvo Sas. El patrón Paulino Castro estaba despierto y tumbado en su litera, preocupado, sin quererlo, del lance, del gustillo, también, de que aquello no iba con él.

Lanzaba la red el «Aril». Sacaría el «Uro». El contramaestre del «Uro» arrojó a la proa del «Aril» un cordón de cabo, al peso de una anilla de hierro. Alguien lo recogió y corrió con él en anadeante carrera a la popa. Echaron el cordón de las aguas atado a una estacha de aparejo. Del «Uro» cobraban del cordón. Simón Orozco salió al bacalao del puente y dio la orden:

—Arte al agua.

A brazo, Afá, Artola, Ugalde y Celso Quiroga fueron echando la red. Joaquín Sas hacía el contrapunto de rutina a las voces de los que trabajaban, barbarizando desesperadamente, mientras preparaba la boza que había de atar al cable de la red y al palo de popa. Juan Quiroga estaba en los carretes de la maquinilla de proa, atento al lanzamiento. Macario Martín se asomaba por la amura de estribor, voceando la faena.

Simón Orozco marcó en el telégrafo: Avante, toda.

Comenzaron los barcos la andada de arrastre. Flotó la red sobre la mar. José Afá dijo:

—La red tiene forma de mujer.

La red tenía en las aguas forma de mujer, de mujer con las caderas prominentes de fecundidad aparente, de pechos grandes y redondos, de cabeza pequeña. Los carretes de proa largaban malleta y cable. Los dos barcos se fueron abriendo, divirgiendo. Ataron la boza de cadena al cable. El cable, de popa a los carretes de proa, descansó. Desde el enganche de la boza por los rulos de la amura de estribor y del palo de proa al carrete de la maquinilla, formando una u corta de un brazo, estaba flojo. La cadena de la boza rozaba las aletas de popa. José Afá dio el respiro hondo de la faena acabada. Dijo:

—Bueno, ahora suerte. Vámonos al rancho que esto se ha acabado.

Simón Orozco comenzaba su jornada de diecisiete horas al timón. Diecisiete horas, diecisiete días seguros. Comiendo al timón, soñando al timón, esperando al timón, obseso de los embarres de la red y de la marcha del barco compañero. Simón Orozco comenzaba la carrera de los bancos de pesca de la mar del Gran Sol. Arrastre en Petí Sol, en Cockburn, en Hurd, en

Labadie, en Jones, en Melville Knoll, en Parsons, en La Chapelle... en Gran Sol. Diecisiete días seguros de soledad en el puente.

En el puente, guardia permanente de Simón Orozco; en máquinas, Manuel Espina hasta el relevo de las ocho. Son las seis y diez de la mañana. La mar está iluminada por un sol grande cuya luz verdea las aguas, quitándoles su oscuridad densa y hostil, casi transparentándolas. Las espumas de proa alegraban la marcha; las espumas de la estela, con los pájaros de la mar revoleando el surco blanco, encendían la nostalgia del navegante. Nunca la misma estela, nunca el mismo surco. Estela hecha, tiempo vivido, también borrado. La mar no tiene sendas, no guarda huellas.

Simón Orozco dibujaba en el agua de sus memorias. Viento de antaño. Veinte años surcando Petí Sol. Malos y buenos tiempos. Fortunas breves de buenas mareas, desesperación de las malas. La rutina, el aburrimiento, el miedo. En el cementerio de Valentia hay nombres conocidos. En Valentia, condado de Kerry, Irlanda. En el cementerio de Bantry son tierra cara a la mar Zugasti y algunos de los hombres de su tripulación, los que fueron encontrados. En Bantry, condado de Cork, Irlanda. Simón Orozco dibujaba el rostro de Zugasti en el agua de sus memorias. Ató la rueda del timón a los cabos y se apoyó en el bastidor de la ventana, contemplando la marcha del «Uro».

En el rancho de popa la charla de José Afá y Macario Martín había despertado a Juan Arenas, que se quejaba por costumbre, decidía vengarse. Afá lo calmó ofreciéndole vino de su botella.

—Bebe y calla, almirante.

—¿Es que no tengo razón? — aplicó los labios a la boca de la botella, hizo una pausa —. Está bueno. — Hizo otra pausa —. A ver si...

Gato Rojo dijo entre sueños:

—Juan, duérmete y no alborotes.

Juan Arenas se indignó, balbuceaba las palabras, no acertando a pronunciarlas.

—Bobobó, bobobó, cállate, almirante. — Afá remedaba el balbuceo, Afá ordenaba —. Bobobó, bobobó, que no dejas dormir a Gato Rojo, que te calles. Que no le dejas, bobobó, bobobó, echar un sueño con la parienta.

Macario Martín se rascaba con la mano izquierda las barbas de tres días. La zurda de Macario Martín, dice Afá, tiene delito. Se rascaba con la mano del delito las barbas encanecidas. La mano del delito y del tatuaje de la rosa de los vientos tenía un secreto de guerra, que sabía Afá, que acaso sabía también Simón Orozco. Macario Martín dejó de rascarse las barbas.

—Juan — dijo —, protesta todo lo que te dé la gana, porque tienes razón. José se enfada cuando se le despierta, pero para él el sueño de los demás no cuenta. Protesta, que yo te apoyo.

El contramaestre se quedó un momento asombrado. Pensaba en la nueva traición de Macario. Juntos hubieran podido reírse de Juan Arenas durante un buen rato. Macario siguió rascándose las barbas.

—Es que me revienta tu falta de compañerismo, José — dijo Macario —, es que estoy harto de que te creas alguien en el barco, cuando eres igual que ése y que Gato Rojo y que yo. Me revienta, José, que te las des de jefe y quieras hacer lo que te venga en gana.

Dejó de balbucear Juan Arenas y se enfrentó con Afá.

—Cuando estés durmiendo voy a traer una pintarroja y te la voy a meter en la bragueta. Ya veremos qué gracia te hace. Tú crees que puedes fastidiar a todo el mundo, pero ya veremos la gracia que te hace. A ver si sabes aguantar una broma.

La sonrisa de Macario Martín confirmaba su satisfacción interior. Confirmo lo dicho por Arenas.

—Ya veremos, José, la gracia que te hace.

La mano del delito rascó las vellosidades del pecho; continuó hablando Macario Martín:

—También podías, Juan, beberle el vino, cuando se te acabe el tuyo, que se te acabará pronto, con una goma desde el ojo de buey de popa. A José no le molestaría, ¿verdad, José?

El contramaestre entendió el juego de su amigo Macario, sabía que quería divertirse a cuenta de los dos.

—Macario, no des indicaciones peligrosas — dijo Afá —. Puede ocurrir que me falte vino y que tenga que echar la culpa a Juan, aunque sepa que eres tú. No te cubras la popa con artimañas. No vengas ahora a dártelas de listo empujando a Juan y me bebas tú el vino.

Macario Martín se tapaba en todas las jugadas.

—Lo único que yo he dicho es que no tienes derecho a despertar a la gente; vamos, que no tienes derecho a despertar a Juan, que estará cansado. Encima, tú te diviertes con él. Por esto le he propuesto una broma, pero sólo como ejemplo, no vayamos a confundir — repitió —. No vayamos a confundir, José.

Abrió la puerta del rancho Manuel Espina.

—José, que te llama el patrón, que subas.

José Afá se incorporó en su litera.

—¿Para qué?

—¡Y a mí qué me preguntas! — dijo Espina —. Ha llamado por el tubo y me ha dicho que subas. No le iba a preguntar yo que para qué. Yo con decirte lo que ha dicho, cumplo.

Macario Martín soltó una carcajada.

—Querrá que le limpies el cuarto — dijo cuando se calmó —. Como sabe lo servicial que eres...

José Afá contrajo el ceño. Se sentó en la litera y empezó a decir barbaridades.

—El hijo de la muy tal, no le deja a uno descansar. La madre de su madre... para un rato que tiene uno libre. — Hizo una pausa —. ¿Qué querrá? — se preguntó.

Macario Martín se regocijaba.

—Sube al puente y te lo dirá, José.

El contramaestre se puso las botas de aguas y desapareció por las pasaderas de máquinas, barbarizando sin cesar.

Macario Martín pidió a Juan Arenas:

—Trae un pito, que los cabreos de Afá conviene celebrarlos.

Cuando José Afá salió a la cubierta ya no barbarizaba. Cuando subió por la escalerilla al espardel ya no murmuraba. Cuando abrió la puerta del puente tenía una mirada humilde y preguntó:

—Señor Simón, ¿me manda?

—Hay que picar hielo, José — dijo Simón, distraídamente —. No mucho. Coge a uno y a picar por si esta tarde sacamos nosotros la red.

—Bien, señor Simón, ¿algo más?

—Cuando acabes, échale una ojeada al arte que está pe-

gando al palo de popa, que está algo rota. Coges a los Quiroga
y a Artola y la coséis por donde esté abierta. Las bolas están
mal sujetas, las miras también y las atas de diez en diez en
vez de doce en doce.

—Bien, señor Simón, y si faltan muchas bolas, ¿qué hago?

—Las sacas del pañol de popa, allí tiene que haber.

—Bien, señor Simón, ¿algo más?

—No.

Cuando José Afá salió al espardel murmuraba. Cuando entró
en la cocina para ir por las pasaderas hacia su rancho barbarizaba como un energúmeno. Cuando llegó al rancho estaba
congestionado de ira. Ya que se calmó dijo:

—Matao, a picar.

—Yo no voy — respondió Macario —, tengo que hacer la comida.

—Queda mucho tiempo para la comida, a picar.

Estuvo unos instantes pensativo Macario Martín.

—Pero qué mala, qué requetemala...

—A picar. Menos cuento y a picar, también voy yo. Son
cosas del gran... del puente.

Macario Martín y su amigo José Afá se unieron en las apreciaciones sobre Simón Orozco. Juan Arenas se divertía.

—Conviene estirar los músculos de vez en cuando — dijo.

José Afá le plantó cara. Levantó el dedo medio de la mano
derecha y cerró los demás.

—Por aquí, vais a llevar esta marea bacalao los del motor.

Le ayudaba Macario Martín.

—Picando debierais estar vosotros, los tres.

Gato Rojo seguía durmiendo. Arenas volvió a reír.

—No despertéis al pobre Carmelo, dejadlo dormir con su
señora... — cantó por lo bajo —. Sensillo, quisiera ser marinero,
caunque difisí é sensillo...

Macario Martín y José Afá salieron discutiendo a la pasadera de la máquinas.

—¿No podías haber echado mano de otro, José?

—Cuando me toca a mí le toca a todos y no distingo.

—Pues te lo tendré en cuenta.

—Al del puente.

—Al del puente y a ti.

José Afá entró en el rancho de popa.

—Juan Quiroga, Celso Quiroga y Venancio Artola, avante al espardel, hay que coser la red que está pegada al palo de popa. Venga, lo ha dicho el patrón.

Los nombrados se improvisaron de sorprendidos.

—¿Ahora? — preguntó, extrañado, Juan Quiroga.

—Sí, señorito, ahora — Afá hizo meliflua la voz —, ahorita si te parece mejor — recuperó el tono duro —. Venga, al espardel, que lo ha dicho el patrón.

Artola interrogó:

—Tú, ¿qué?

—Yo a picar hielo. ¿Si tú lo prefieres?

No había remedio. Los nombrados en el rancho de proa se incorporaron y comenzaron la sabida letanía de los insultos al patrón Simón Orozco. Joaquín Sas se pasaba las manos por la barriga fingiendo una gran felicidad. José Afá lo contempló.

—Tú, Sas — dijo — échales una mano.

Se incorporó de resorte Sas.

—¿Lo ha dicho el patrón?

—No, lo digo yo.

—Pues no voy.

—¿Que no vas?

—No voy.

—Tú vas, porque lo digo yo. Tú vas como vamos todos.

—Yo no voy.

—Si cuando salga de la nevera, que saldré dentro de una hora, no estás con éstos atando mallas, nos entenderemos.

—Pues nos entenderemos, pero no me levanto ya aunque lo diga el patrón.

—Muy bien — hizo una pausa el contramaestre —. Nos en-- tenderemos tú y yo, Sas.

Cuando salieron a la cubierta de proa José Afá y Macario Martín ya estaban desfogados. Desde el puente los contemplaba Simón Orozco. Después el patrón pasó a contemplar la mar. Macario Martín lo observaba con el rabillo del ojo, mientras ayudaba a su amigo a quitar la tapa de la escotilla de la nevera.

—El cabrón — dijo Macario — nos miraba como si no existiésemos.

—Anda para adentro — respondió Afá.

Macario se descolgó a la nevera. José Afá le pasó un pico y una pala. Luego bajó.

El hielo picado que les habían servido en El Musel formaba una masa compacta. Había en la nevera como un extraño humo que emanaba del hielo.

—Pica por abajo — dijo Afá —. Así nos ahorramos trabajo.

Macario comenzó a trabajar. Después de diez o doce golpes hizo un alto.

—Es un trabajo inútil. Si esta tarde no sacamos nosotros la red, todo esto es inútil.

Afá paleaba con mal humor.

—Con tal de jorobar a la gente está contento. Pica, no te duermas.

—Inútil — dijo Macario —. Totalmente inútil.

Estuvieron un rato en silencio, trabajando. Macario dejó el pico de pronto y se llevó las manos a la cintura.

—No estoy para estos trabajos.

—Si no estás para éstos y te quejas de los riñones, no estarás para los que a ti te gustan ¿o es que hablas solamente lo que imaginas?

Macario volvió silencioso al trabajo. Al cabo de unos pocos minutos dijo:

—Ya hemos picado bastante, ¿no te parece?

—Sigue, Matao, no seas chaqueta, sigue que hay que picar como para cien cajas.

—Esto es inútil, totalmente inútil.

—¿Y a ti qué?

Macario barbarizó cuando le cayeron sobre las manos dos grandes trozos de hielo.

—Él debiera de estar aquí dándole al pico.

—Él está donde debe estar y tú también estás donde debes estar.

—Con tal de fastidiar a la gente es capaz de mandarnos coser la vela.

—No te preocupes, si está rota la mandará coser. Trabaja, Matao.

El pico hacía un ruido corto y preciso al dar en la masa de hielo. La pala daba un sonido agrio y largo. Punto del pico, raya de la pala. Escupía Macario la saliva del trabajo, pastosilla y ahogante. Afá jadeaba. Punto del pico, raya de la pala. El ruido del hielo al desmoronarse era entre metálico y cristalino.

Joaquín Sas salió de muy mala gana a trabajar. Antes de subir al espardel se pasó por la proa y se asomó a la boca de la nevera.

—José, que subo al espardel para que no digas— su voz tenía un dejillo de desafío —, para que no se te pudran los hígados.

Ascendió la respuesta de Afá serena y amable.

—Bueno.

Macario Martín, desde la entraña de la nevera, alumbrado por una bombilla envuelta en tela metálica, pegada al bao, guiñó un ojo e hizo una mueca a José Afá.

—Se anzueló él solito, José.

—Habla demasiado.

—¿Por qué no echaste mano de Ugalde?

—Porque Sas... bueno, porque Sas se las da de listo.

—¿Le tienes ganas?

José Afá lo pensó, dijo:

—Sí, le tengo ganas. Él y el patrón me sacan de misa, me ponen a morder.

—Al patrón te lo vas a aguantar hasta que cambies de barco.

Arrastró la pala con furia José Afá.

—Si no fuera por lo que hay en tierra me había desembarcado.

—Y yo.

Gato Rojo tenía el despertar lento, amplio de desperezos, rico de bostezos. Abría los ojos con la suavidad y la calma de las tortugas. Los volvía a cerrar. Recogía las piernas, las estiraba. Arqueaba el pecho y el vientre apoyándose en la nuca y en las nalgas.

—¿Qué hora es, Juan?

No obtuvo respuesta. Repitió sin asomarse a la litera de su compañero:

—¿Qué hora es, Juan?

Sacó las piernas por la baranda de la litera y se encogió para no pegar contra el techo.

—¿Juan?

Miró entre sus piernas. Juan Arenas no estaba en su catre. Gato Rojo saltó al suelo. Se quedó un momento de pie, apoyado en los talones, con los dedos encogidos, buscó sus zapatos por el lío de cajones y cestas. Se los puso sin ayudarse de las manos. ...n el espejo colgado de la puerta se miró el rostro. Se hizo dos o tres visajes. Tenía la barba muy crecida. Torció los labios y se pasó la mano por la cara.

—Hay que afeitarse — dijo.

En el reloj del Matao, pendiente de una cadena en la cabecera de su cama, miró la hora. Hora de cambio de guardia. Salió a las pasaderas y fue a la cocina. El único que en el barco había dormido casi ocho horas seguidas, excepción de Ventura, era Gato Rojo. Cuando entró en la cocina todavía no era muy real su vigilia y un último desperezo lo confirmó.

Se estaba cubriendo el cielo. Soplaba viento del norte. La mar iba tomando un color de pizarra clara. Pizarra el horizonte, al norte, al este y al oeste. Al sur, azulillos livianos y huyentes. El sol navegaba embozado por las nubes y sólo unos reflejos amarillos, del amarillo corrido del cambio de los grandes cangrejos, se filtraba arriba y abajo de la marca de su círculo.

Domingo Ventura echó mano de una novela en cuanto se despertó. Reflexionó luego y fue a la cocina en busca de agua caliente para hacerse un cazo de leche. Encontró a Gato Rojo. No estaba de humor para pedir favores.

—¿Cuándo me haces la huevera? — dijo.

—No te la hago.

—Allá tú.

Gato Rojo se asomó al portillo de la cocina y estuvo contemplando la marcha del barco compañero.

—En este banco es pérdida de tiempo echar las artes—dijo—, no sé cuando se va a convencer el patrón.

Domingo Ventura no respondió. Con el cazo de agua caliente volvió a su camarote. Gato Rojo salió a la cubierta. Sintió frío. Estaba en camiseta. Desde el espardel le dijeron alguna cosa que no entendió. Era puntual en su guardia y calculó que ya era la hora de tomarla. Bajó a las máquinas.

En el espardel había una animada tertulia. Cosían la red. Sas se quejaba a los Quiroga. Artola estaba en su labor. Se hablaba mal de Simón Orozco. Sas tenía la palabra.

—No se ha visto otro igual en todo el Cantábrico.

—Todos son iguales — dijo Celso —. Todos mandan.

—Éste es como todos en peor — afirmó Sas —. En mucho peor. Calla, calla y hace las suyas. Buen bicho para poca red. Ya nos dará algún disgusto. Con él no hay marea sin disgusto.

Calló un momento, luego dijo rotundo:

—Ojalá se muera. Y que se muera con él Afá.

Celso Quiroga miró a los ojos a Sas.

—No te han hecho cosa grave.

—Ojalá se mueran — repitió Sas.

—Bueno, bueno, calla ya — intervino Juan Quiroga.

Estuvieron cosiendo la red en silencio durante un rato. De pronto Sas dijo:

—¿Tú puedes contar que le hayas visto decir alguna vez que cualquier cosa de las que se hacen a bordo está bien? No. Nadie lo puede decir. Es el único que aquí, por lo visto, sabe hacer las cosas. Si sacas del palo arriba, malo; si quieres salabardear, peor. Si te ve tirar la red, que no, que se engancha. Es el pájaro de peor leche que me he echado a la cara en la vida.

Estaba creciendo el viento y la marejada. Simón Orozco tenía atada la rueda del timón y se paseaba por el puente. De vez en vez hacía alto en la ventana de estribor, observando la marcha del «Uro». Llegaba a la radio y comunicaba con el compañero. El «Uro» se abría un poco de su rumbo.

La cadena de la boza, con la marejada, corría las aletas de popa. El barco levantaba mucho la proa. Simón Orozco pensaba en un mal embarre de la red. Temía que cogiera fondo y se enganchase, porque llevaba el arrastre con dificultad.

Macario Martín y el contramaestre Afá salieron de la nevera. Colocaron la tapa de madera, después la cobertura de hierro. Al terminar, Afá le hizo una señal a Orozco que los contemplaba. El patrón abrió una de las ventanas de proa. Afá gritó.

—Hemos picado para cien cajas, patrón.

—Mal hecho — respondió Simón Orozco —. Sobra hielo para lo que saquemos aquí, en caso de que se saque algo.

Afá torció el gesto.

—Como usted dijo...

—Hay que estar dispuestos, pero no pasarse, hombre.

Afá, seguido de Macario Martín, corrieron hacia la cocina, evitando el agua que entraba por las amuras. En la cocina dijo Afá:

—Mal hecho, ¿qué querrá que hagamos?

Macario Martín estaba cansado.

—Pregúntaselo otra vez y no me tengas picando hielo como un loco.

—¿Qué querrá este hombre que hagamos?

Simón Orozco tenía doloridos los pies. Pensó que al atardecer el dolor sería casi insoportable y que se los vendaría siempre después de la virada del mediodía. Pensó que antaño no se cansaba del puente, que antaño el puente no era un trabajo tan duro como ya iba siendo desde hacía dos años. Hay que ser joven, se dijo, para estar en la mar, tener las piernas fuertes. Los cincuenta años de un patrón de pesca no son los cincuenta años de un capitán de barco. Un patrón de pesca es un obrero de la mar, un obrero especializado si se quiere, pero nada más.

Manuel Espina estaba comiendo un trozo de pan con bonito. A la entrada de Afá y el Matao, dijo:

—Este bonito pica ya, habrá que comerlo pronto o tirarlo.

—Habrá que comerlo — respondió Afá — porque hoy no sacamos ni para cenar, ya lo veréis.

Macario Martín se había quitado las botas de aguas y se subía a la litera.

—Estoy bien molido — afirmó.

—Dile eso al señor Simón para ver lo que le parece — dijo Afá.

Manuel Espina se rió con la boca llena.

—Si le dices que te cansas, después de estar tumbado dos días a la bartola se te va a poner hecho una verdadera furia. Te dirá que tomes ejemplo de él que se pasa diecisiete horas de pie agarrado a la rueda.

Macario Martín hizo un movimiento de cejas, resignándose a su cansancio. Miró al reloj. Pensó que al cabo de dos horas tendría que ponerse a hacer la marmita.

De pronto Afá dijo:

—Embarre, me parece que hemos embarrado —. Lo que faltaba...

El barco navegaba con dificultad, acortando su andar.

Desde las máquinas llegó el pregón de embarre de Gato Rojo.

—A virar.

Macario Martín saltó de la litera y se puso las botas de aguas.

Los que trabajaban en el espardel cuando oyeron a Afá, ya en cubierta, gritar la virada, corrieron a sus puestos.

Joaquín Sas, a una orden de Afá, golpeó la chaveta del macho que aguantaba la boza. El cable se tensó de popa a proa. El «Aril» borneó casi sobre el arte embarrada. Se abrieron las pinzas de los rulos de la amura y la maquinilla de proa comenzó a cobrar cable. Afá dijo:

—Aquí solamente subirá basura. Si sube algo que se pueda comer, vamos bien.

En el puente Simón Orozco hablaba por radio con el patrón del barco compañero. Sacaría el «Uro».

Los barcos iban convirgiendo hacia la red de arrastre, embarrada a setenta brazas de profundidad.

V

P OR el veril oeste del Cockburn Bank, llevaban el arrastre los barcos de Simón Orozco. Al amanecer estaban en el banco las parejas «Urco» y «Pagasarri», «Alonso» y «Puebla». Con los pescadores del «Urco», cuando se acercaron pidiendo pesca para la comida, disparataron bromeando los tripulantes del «Aril». Macario Martín y Joaquín Sas llevaban el arrastre de la risa, de la desvergüenza, de la ofensa podrida de vieja. Macario Martín no perdía palabra sin hacerle el comento. Gritaban contra los ruidos de la mar, se reían forzada y reciamente. Macario se colocó en popa, sacó una pierna por la aleta de estribor y la movió haciendo el afilador. El «Urco» no era un barco de gallegos, pero a Macario le daba lo mismo, la cuestión era mostrar el repertorio. Macario fue feliz durante un rato.

Soplaba viento duro del suroeste rolando al noroeste y moderando. Llovía. A las siete se echó el arte al agua. Hubo dificultades en la maniobra y Simón Orozco culpó al contramaestre Afá de falta de pericia, de descuido, de error. Afá entró en su rancho, silencioso y hostil. Macario Martín tuvo el tiento de no hostigarlo. Paulino Castro había escrito en la alta noche la singladura pasada: «...viramos a 11,20 h. por embarre. Largamos a 12 h., siguiendo en arrastre hasta las 18 horas, que viramos por embarre. Poca pesca, quedando al garete con viento duro y mar que hacemos capa, que aumenta con fuerza y cerrado con muchas lluvias, y sin más novedad la damos por terminada».

Por el veril oeste del Cockburn Bank arrastraban los barcos de Simón Orozco. A su estribor, a cinco millas, pescaban el

«Urco» y el «Pagasarri». Perdidos de vista navegaban, también al arte, el «Alonso» y el «Puebla».

Simón Orozco tenía los ojos cansados de los reflejos de la mar. Miraba y no veía, aburrido de mirar. Diminutos meteoritos se desplazaban por los cielos grises de su vista. Meteoritos inflamados en azul, en rojo, en amarillo. Bajó los ojos. La tablazón del puente estaba sucia. Se entretuvo en los descubrimientos del ocio forzado: la espina, la bola de papel de fumar, el núcleo de escamas. En la puerta del cuarto de derrota la rendija inferior iba creciendo hacia los goznes. En el armario de la radio, las tizas para apuntar las revoluciones de la hélice. Con las tizas, recuerdos de infancia y de paternidad. Miró el reloj. El hijo nunca se levantaba antes de las ocho. Ya pasaban diez minutos de las ocho. El reloj de Simón Orozco marcaba el tiempo de su casa. El cronómetro de a bordo el tiempo de Greenwich. El reloj de Orozco estaba en el bolsillo superior izquierdo del mono, casi junto al corazón El cronómetro, en el cuarto de derrota. Las ocho y diez en casa. La madre se habrá levantado a' las ocho menos cuarto. Habrá llamado a las ocho al hijo. A las ocho y media llamará a la hija. A las ocho y media el hijo saldrá de casa llevando en el bolsillo de la chaqueta un bocadillo envuelto en papeles de periódico. Estaba creciendo mucho el chico. Iba a ser un gran mozo, un motilón como... como él había sido. Simón Orozco se golpeó el muslo derecho, contento y, recreando añoranzas, silbó tenuemente. Miró el barco compañero y se levantó para corregir en la rueda el rumbo de arrastre. No volvió a sentarse; se quedó al timón.

Gato Rojo acababa de inventar un disparador ya inventado para las líneas tendidas al bonito, en los viajes de ida y vuelta. Estaba atento a su trabajo en la mesa del tallercillo de máquinas. De vez en vez contemplaba la obra y se pasaba el dorso de la mano derecha por las barbas. Se ahincaba en la labor. Encorvaba las espaldas sucias de grasa con un perfil blanco por el arco de la camiseta estirada. Le llegaba la suciedad hasta el cogote pecoso y taheño. Al tiempo llevaba las manos a las nalgas refregándose para limpiarlas de sudor. Trabajaba a gusto.

En el rancho de' popa había discusión general y maldiciones en desorden. Sus cuatro ocupantes y el motorista Domingo Ventura hablaban robándose las palabras. Afá carnaba el anzuelo para Macario.

—Cien veces ha dicho que te trae por compasión, que lo que tú pintas en el barco es lo que pintas en la taberna.

—No ha dicho eso jamás — dijo Macario.

—Lo hemos oído todos cien veces. La última ayer, en el segundo embarre, cuando estabas en proa.

—El señor Simón no ha dicho eso. Alguna vez la habrá tomado conmigo, pero no ha dicho eso, porque si lo llega a decir... — maldijo —, me hubiera tenido que escuchar.

Domingo Ventura recomendaba a Afá:

—No lo macices tanto, que ya pica.

Macario Martín no hacía caso de la ironía de Domingo Ventura, que se entretenía en la discusión con los engrasadores, teniendo el oído atento a los regates de Macario y Afá.

—Hoy te ha puesto bueno y con razón — dijo Macario —. Si hoy se os engancha el arte en la hélice, arma la de Dios y con razón.

—Tú qué sabes, Matao; tú me vas a decir a mí cómo se lanza la red. Con mala mar la red no se puede gobernar. Que baje el del puente y que lo haga mejor.

—Bajará, no lo dudes.

—¡Qué va a bajar! Desde el espardel se ve todo muy bien, hay que estar abajo. Es un cabrón de sabihondo que todo lo manda, pero que no sabe hacerlo.

Juan Arenas no se echaba en el catre, de indignación. Hacía un movimiento para echarse y el aire de la discusión lo levantaba.

—No, señor.

—Ya veréis — dijo Ventura —. Ya lo veréis. Como vendan la pareja, al bou no vais vosotros. Irá Gato Rojo, si yo quiero, pero vosotros no vais porque me lo dijo el armador.

—Nos tendrán que indemnizar en gordo — dijo Manuel Espina —. Para eso hay leyes.

—Os darán dos pesetas — respondió Ventura.

Juan Arenas acusaba los remusgos del miedo.

—No se puede poner en el muelle a un padre de familia, porque vendan la pareja.

—Vete con los barcos a Vigo — replicó Ventura.

Se quejó con acritud Arenas:

—Si no llega lo que se saca estando en casa, va a llegar estando en Vigo — cambió la voz endureciéndola —. No me vuelvas loco, Ventura, no me hurgues y sea todo una mala broma.

—¿Broma?... Pregúntaselo al costa. Él te dirá si es broma o son veras. No te hagas el magano oscureciendo las aguas con tinta; la pareja está vendida.

El contramaestre y el cocinero escuchaban, abandonado ya su diálogo. Afá interrumpió:

—Pero, ¿qué dices? Vamos, vamos, qué va a estar vendida la pareja...

—Pregúntalo al costa.

Macario Martín dijo:

—No creo nada de lo que cuentas. Si nos mandan a pintar la chalupa por bajo nos tendremos que ir todos y eso no puede ser. ¿Qué decís del bou? El bou nuevo ya tiene la tripulación completa. Al bou no va gente de la pareja. Eres un...

—No está completa — dijo serenamente Ventura —. Yo voy de motorista y si quiero llevar a Gato Rojo llevaré a Gato Rojo. Pero éste y éste — los iba señalando — y vosotros dos ya os podéis buscar catre en la bajura.

Los cuatro estaban desconcertados, cavilosos. Domingo Ventura insistió:

—No es broma, es...

La mano izquierda de Macario Martín se movió, trazando círculos, picó sobre la entrepierna. Macario volvió el rostro hacia la estampa del guardacalor.

—No te hago caso, Ventura. Estás *matao*.

—Allá tú — dijo Ventura.

Afá y los dos engrasadores se miraron. El contramaestre roló a la esperanza.

—Ya se verá, no hay que apurarse en la capa, ya se verá.

 En cada marea hay una patraña. La patraña coletea rabiosamente todo el viaje en la imaginación marinera hasta que, llegando a la vista del puerto, se va a la mar por los agujeros imbornales, por los escapes de las puertas de trancanil, cuando se arrancha de llegada. Cada marea tiene su patraña. Alegre o triste, siempre desasosegante. Saltó a bordo en el muelle de las despedidas; creció en las meditaciones del puente, en la soledad de las guardias; buscó guarida en los ranchos de las conversaciones del ocio y del descanso. La patraña se alimenta de la basura de la mar, del copo desafortunado: pez carnaval, pez payaso, rayas, pintarrojas, mielgas, caracolas... Cuando la mar no es rica, cuando la pesca de Lonja anda huida de los fondos placerados, la patraña coletea como un péndulo loco. Cuando hay mala mar, el marinero olvida la patraña, hasta la mar en calma y vacía. En los barcos de altura, en los cuarteles, en las cárceles, la inquietud del hombre, las esperanzas y desesperanzas en el porvenir, vigorizan la patraña. Patrañeras delicadezas despreciadas donde reposa un momento la vista del navegante, del soldado, del penado; inútil pez carnaval, inútiles hierbajos de rinconada de los patios de armas, pájaro inútil de ventana y reja; cada uno con su especial y agudo acento.

En el rancho de proa Venancio Artola jugaba la conversación a la contra. Joaquín Sas modulaba su mala intención en suaves palabras. Expectaban los dos Quiroga y Ugalde.

—Orozco os distingue a vosotros y a nosotros nos da el palo en cuanto puede — dijo Sas —. Será porque vosotros no le protestáis nada de lo que dice...

—Será eso — respondió Artola —. Porque vosotros, tú sobre todo, eres buen marinero.

—¿Entonces?

—Casi somos del mismo pueblo.

—Eso tiene que ser, pero a nosotros nos hacéis un aparejo de marrajo. No es justo el patrón, tú mismo lo reconoces.

—Yo no reconozco más que vosotros sois buenos marineros. Tú no le discutes nunca en cubierta, se lo discutes después. ¿Por qué no le discutes en cubierta? Seguramente porque eres buen marinero.

—¿Y tú por qué no le discutes después?

—Porque ya, ¿para qué? Ya está hecho.

—Está hecho, pero hay que decírselo para que se dé cuenta de que no somos como las amuras: sólo recibir golpes y no pensar.

—Eso a mí me trae sin cuidado; puede pensar lo que él quiera.

—No, señor; estás equivocado; no tiene que pensar lo que quiera, sino lo que es.

—Bueno, ésa es una forma de pensar tuya. Yo pienso así como he dicho.

—Pues no tienes compañerismo.

—¿Porque no pienso como tú?

—No, señor — canturreaba la parla —, porque el ser compañero consiste en estar todos unidos y decirle lo que todos piensan.

—¿Y quiénes piensan como tú? ¿Todos?

Joaquín Sas hizo un movimiento con las manos, recogiendo sobre su pecho el espíritu del rancho.

—Todos éstos.

Los Quiroga se limitaron a callar. Ugalde movió la cabeza negando.

—Yo no pienso como tú — dijo Ugalde —. Tampoco como Venancio.

Joaquín Sas alzó el tono de voz con un dejo de ironía.

—Es que a ti no te conviene pensar como yo.

—Eso es cosa mía — respondió Ugalde —. No me vas a obligar a pensar como tú. ¿Tú crees que en este barco todos piensan como tú? Pues no... Pregunta al contramaestre o al Matao... A mí no me interesa lo que piensen, pero pregúntales.

Todavía tibio del sueño, revuelta la crin, revuelto el humor, remugando la mala, la violenta palabra y la saliva biliaria del despertar, Paulino Castro bajó a la cocina. Era mediodía. En la soledad de la cocina borbotaba el guiso de la marmita. Entraba la lluvia por el portillo abierto, dardeando la plancha del fogón. Bufaba el imbornal en la amura, frente al portillo, al penetrar el agua por él en las arfadas de la marcha, haciendo el contrapunto a la marmita hirviente. La lluvia en la plancha daba un tono crispante vidriado, moscón.

Paulino Castro asió la manija de la bomba del aljibe. Estaba agarrotada. La golpeó frenéticamente y se hizo daño. Largó una patada al cubo lloradero, colocado bajo el caño de la bomba. Dio la vuelta a la mesa de madera ennegrecida y astillada y entró en el rancho de proa.

En el rancho de proa botaba la pereza de los minutos visorales de la llamada a comer. Las palabras de Paulino Castro buscaban con saña la oposición de la marinería. Estaba valentón en el envite; llegaba con la fuerza de una surada.

—¿Quién ha jodido la bomba? ¿Quién ha sido el último que ha sacado agua del aljibe? ¿Quién, me c..., quién?

La marinería casi estaba de siesta. Venancio Artola preguntó suavemente:

—¿Qué pasa, patrón?

—La bomba del aljibe, que está rota. ¿Quién ha sido el último que ha sacado agua?

—Macario habrá sido — dijo Venancio Artola —. ¿Le ha preguntado a Macario?

—Macario no está.

—Habrá subido al puente con la comida del pesca.

—Macario no está en el puente.

—Estará en su rancho. Seguramente que no estará rota la bomba. Se habrá agarrotado, le ocurre muchas veces.

Joaquín Sas extendió la red de la murmuración.

—Macario anda a golpes con ella, patrón; la habrá embarrancado.

Venancio Artola era hombre dispuesto a hacer un favor. Dejó el catre.

—Eso se arregla en seguida.

Desapareció hacia máquinas en busca de una llave inglesa y de un martillo, mientras Paulino Castro se quedaba en el rancho hablando con sus paisanos. Le había virado el humor. Se rascaba el dedo índice de la mano derecha, anquilosado de una espina venenosa de pez salvariego, allá por los años de bote, a la pesca de tiento en el perfil de los acantilados comarcales.

—Marea del diablo.

—Patrón, esta playa, en este tiempo, es de basura — dijo Sas.

—Esta mar del diablo.

—La mar no importa si hay peces, pero no va a haberlos, ya se verá.

—Confianza.

Paulino Castro hizo una pausa. Continuó:

—Confianza y aguantar.

Cuando Macario Martín fue a subir la comida a Simón Orozco, Artola estaba arreglando la bomba del aljibe.

—¿Qué hiciste, Macario?

—¿Yo?

—El costa entró en el rancho con las tripas en los puños.

—Allá él.

—Agarrotaste la bomba.

—¿Yo?

Venancio Artola se echó a reír.

—Pero, Macario, ¿sales de la escuela?

—Salgo del retrete. El costa, el costa... ¡Y qué me importa lo que diga el costa! ¿Es que no puedo ir a hacer mis necesidades? ¿Es que tengo que estar a todas horas a disposición de todos? ¿Te parece? Pues ahora, encima, le tengo que subir la comida al otro. Bueno, pues voy retrasado. Bueno, pues la gran bronca, porque quiere comer a las doce. Mierda, pero a las doce. Y yo estoy estreñido y se me pasa el tiempo en el retrete. No voy a ir diciendo a todos en este barco que estoy estreñido y que no estoy en la cocina porque estoy estreñido. Déjame, Venancio, déjame y no me cargues.

—Macario — dijo, asombrado, Artola —, ¿has perdido una chaveta?

Macario Martín había apartado en una cazuelita la comida de Simón Orozco. Salió por el portillo a la cubierta, diciendo:

—Déjame, Venancio, déjame y no me cargues, que no quiero tener disgustos.

La tripulación comió en la cocina y en los ranchos. Venancio Artola contó a los de su rancho lo que le había ocurrido con Macario. Joaquín Sas puso el punto amargo.

—El Matao está ya de loco de puerto, para divertir marineros.

A Venancio le entristeció la actitud de Sas. No sabía por qué, pero a Macario le tenía, en el fondo, un gran respeto.

Venancio Artola iba a decir algo, cuando se oyó el grito de Juan Arenas desde las máquinas, llamando a la virada. Venancio se puso rápidamente el traje de aguas y salió con los demás a cubierta. Desde el puente, Simón Orozco daba órdenes al contramaestre.

—Cuidado, José, al sacar, que estamos en una revesa y nos puede llevar la red para popa sin que nos demos cuenta.

—Bien, patrón, no parece fuerte.

—Tú, cuidado y atento.

Lentamente iba saliendo la malleta de las aguas. Celso Quiroga manoteaba malleta pegado al carrete, echándola hacia popa para el aparejo del segundo lance. Simón Orozco le advirtió desde el bacalao del puente.

—Cuidado, Celso; mira la malleta y no la proa. Mira la malleta que está deshilachada y te vas a meter en la mano un hilo del cable.

Celso Quiroga hizo un gesto afirmativo con la boca y la cabeza. Simón Orozco contempló la marcha del «Uro». Pasó la vista por la mar hasta la proa de su barco. El contramaestre Afá aspó los brazos. Simón Orozco volvió a la rueda del timón, la hizo girar, corrigió la enfilación y volvió a salir al bacalao.

—Atentos al arte — gritó —, nos la llevará la corriente a popa.

Había salido ya toda la malleta. En el arca de popa, junto al saltillo, la iban colocando en ochos Sas y Artola. Ugalde y Juan Quiroga preparaban una red para el nuevo lanzamiento. El cable de la que sacaban silbaba por los rulines.

Un golpe de mar hizo que Simón Orozco se apresurase a corregir el rumbo de leva. El «Uro» y el «Aril» iban acercándose, convirgiendo sobre la red a setenta brazas de profundidad. El contramaestre Afá abandonó la proa para lanzar un cordel al «Uro». Comenzaba la difícil maniobra de izar con mala mar la red a bordo. Devolvieron del «Uro» el cordel con el cabo atado a la punta de la red. El «Aril» paró sus máquinas. Todos los hombres del rancho de marineros, más el contramaestre y Macario Martín, estaban en proa. El contramaestre acechaba en punta de proa, doblado sobre la amura. Los carretes recogían el último cable del calamento. Se escuchó potente la voz del patrón Simón Orozco.

—¿Cómo llama?

El contramaestre respondió:

—A babor.

El «Aril» hizo marcha atrás. Los dos picos de la red estaban sujetos en proa. Había que maniobrar para pasarlos al costado de estribor. Afá abrió los brazos. Macario Martín sujetaba la estacha del arte a un abitón de la amura. Corrió una onda de atención desde proa que resacó en el puente. Por un momento solamente se oyeron los ruidos de las aguas al golpear contra el barco. La voz de Simón Orozco devolvió el dinamismo de la maniobra a aquel mundo parado y silente en la atención.

—Templa y arría.

Macario Martín soltó la estacha. Las puntas de la red, engarfiadas a un cable empoleado en el mastelerillo del estay de galope, patinaron por la regala hasta el comienzo de la obra muerta. Principiaron a halar la red.

El arte fue invadiendo la cubierta. Como un monstruo de fondo, flojo y poderoso, se derramaba lentamente de la mar sobre el barco. Su oscura maraña, en la cubierta inclinada, avanzaba, a los resguardos y apoyos de las amuras. Traía prendida la florafauna de las playas: grandes vejigas rojas y amarillas, cardúmenes y pólenes de peces carnavales y payasos, algas ocres y retintas. El arte, como los grandes animales de la mar, tenía sus parásitos.

De golpe, en la línea de popa, emergió el copo. La cabeza de la red quedó flotando. De un blancor metálico, ancha y redonda, era como una gigante gota de azogue movilizándose por la iracunda pelea de las aguas negras. Simón Orozco no perdía de vista el copo. Tras la florafauna: matas, cardúmenes, colonias; tras la florafauna aparecieron los discos cenicientos de las rayas, las pintarrojas oceladas cambiando el reciente color crema de la sacada por una rosa fuerte al compás de una larga agonía, las sulas largas, albas, como de aluminio, las blandas langostas de coral enzarzadas en una pesadilla combatiente con las mallas del arte... Se vertía la red sobre cubierta trayendo los primeros, diminutos, boquiabiertos rapes, ajados sus apéndices de pesca. Se vertía la red con los escualos de gatunos ojos: mielgas de aguijones en las aletas dorsales y caudales, pequeños tolles de duros dientes, pequeñas fieras de las aguas, que sobre cubierta vidriaban los hermosos ojos de furia impotente. Con ellos la serpenteante presencia de los congrios, el equívoco formal de ojitos y lenguados, la suprarreal creación del pez rata, incisivos de roedor, pelo o escama, larga cola barbada, coloración gris, grandes ojos, verdes o azules, de animal asustado. Las redes de arrastre vuelcan el quinto día de la creación del mundo sobre las cubiertas de los barcos pesqueros.

Maniobró el «Aril». El copo quedó pegado al barco en la banda de estribor. El contramaestre Afá preguntó a Simón Orozco:

—¿Usamos el salabardo?

—No es necesario.

—Trae bastante pesca, patrón.

—No es necesario.

Preventivo, insistió Afá:

—Si se rompe el cable... Es mejor salabardear, patrón.

—No es necesario. Sacad ya.

Izaron el copo. Quedó unos instantes balanceante sobre cubierta. Afá tiró de la cuerda que cerraba la boca de la red y la cubierta se cubrió con la pesca. Habían establecido para su clasificación compartimientos y casillas. El monte de pesca tenía los blandos colores del mundo submarino: rosicler de cucos, carnavales y payasos; rojo de sangre coagulada y plata de los besugos; plata vieja de las merluzas, las pescadillas, la carioca machacada por los peces grandes; blanco de esclerótica de los calamares y los cabezones pulpos de arena; verdes y amarillos de los bacalaos y su clan de abadejos y barruendas; pintarrojas, mielgas, tolles, rayas... y una caila hediente, al acecho del descuido de un marinero, con la boca entreabierta, con la boca de tres filas de dientes móviles, con la boca de muerte. La caila del clan de los grandes escualos, quieta y larga como un madero ennegrecido por las aguas.

Comenzó a bordo el trabajo de clasificación de la pesca. Los barcos se emparejaron y fue lanzada al agua tras de una breve andada, la red del segundo arrastre. Simón Orozco comunicó con el barco compañero el cálculo del monto de la pesca.

Los hombres del barco, excepto los dos patrones Domingo Ventura y Gato Rojo, trabajaban en la clasificación y preparación del pescado. Domingo Ventura había sido reclamado para que bajase a la cubierta a abrir bacalaos, pero Domingo Ventura prefería contemplar la tarea desde el puente, trinando el aire por las separaciones y agujeros de la dentadura ocupados por restos de comida, ahuecándose perezoso dentro de la capa de aguas, tiesa y como quebradiza. Domingo Ventura, después de aguantar durante un rato la lluvia mansa del mediodía, desapareció rumbo a su catre. Gato Rojo estaba de guardia en máquinas, entretenido en la artesanía de los anzuelos de cacea.

Junto al palo mayor, José Afá abría merluzas. A un lado el cajón de las cocochas y las huevas, al otro el de los desperdicios. La merluza limpia se la pasaba a Sas que la bañaba en el cubridor de hierro de la escotilla de la nevera al que habían dado la vuelta y llenado de agua. Macario Martín seleccionaba pescado a mano, dando gran impresión de trabajo, siendo muy poco eficaz. Venancio Artola y Juan Ugalde paleaban la basura de la mar a la mar; trabajaban de firme. Los Quiroga abrían merluzas junto a los carretes de cables. Juan Arenas y Manuel Espina preparaban bacalaos, abadejos y barruendas para la salazón.

Los besugos, coleteando, resistiéndose a la muerte, iban llenando las cajas. Cajas de besugos, cajas de merluzas, cajas de pescadillas. Alguna de cariocas en buen estado, de ojitos y lenguados, de rapes. Todo lo demás a la mar. En los primeros días de pesca no se puede llenar la nevera de peces de poco precio: peces cucos, peces burros... El congrio para comer los de los ranchos; las langostas reservadas para los patrones, porque siempre las ven los primeros; si hay más de tres también alcanza para la marinería; si no, a fastidiarse, porque donde hay patrón obedece el marinero, que es la ley de la mar.

En el arte se habrían tomado cerca de tonelada y media de peces. La mayoría volvían a las aguas, muertos, para banquete de las hienas de la mar: las cailas y su clan. El trabajo en la cubierta, bajo la lluvia, con mar movida, agotaba a los hombres. Solamente plantarse, recibir, quebrar en los balances, era ya un trabajo. Macario Martín seleccionaba a mano de dama, sin ascos, pero con prevenciones, agarrado con la del delito a la tapa de regala. Macario se quejaba de la cintura, suspiraba hondo, se incorporaba lentamente vértebra a vértebra, muelle a muelle, como se abre una navaja. Los Quiroga, Ugalde, y Artola, no hablaban en el trabajo. Afá y Sas reincidían, en las bromas del trabajo a cuenta de Macario. Los engrasadores se curioseaban mutuamente el trabajo, perdiendo el tiempo.

—Mal abierto — dijo Juan Arenas —. En la raspa se te ha quedado un filete grande.

—Le he perdido el tino — respondió Espina —. Hasta que abra una docena no lo haré bien.

Macario Martín usó de las dos manos para tirar por la borda una raya gigante. Se asomó para ver su descenso. La raya descendía solemne, despaciosamente, como una gran hoja otoñal. Por un momento fue un oscilante brillo fosfórico. Luego se perdió hacia los fondos. Macario volvió a su técnica selectiva, cuidadosa, descansada y farsante.

En la estela del «Aril» alborotaban los pájaros de la mar. Los mascates picaban desde las alturas, desde la parsimoniosa de sus vuelos; los arrendotes gañían en la disputa del banquete; las ligareñas, ligeras, gráciles, se adelantaban a los arrendotes, amagaban sobre la espuma y la comida, levantando el vuelo de perseguidas. Los petreles sorbían con urgencia los aceites y, rápidos, revoleaban las laderas de las olas para de pronto ascender y revolear al lado contrario.

Juan Arenas le daba al cante chico mientras abría bacalaos. Manuel Espina lo acompañaba tarareando. Entraba el agua por las amuras, arrastrando las cabezas de los bacalaos, cegando los imbornales de desperdicios. José Afá no podía sonarse las narices con las manos llenas de sangre y de escamas y moqueaba ruidosa e infantilmente. Macario Martín gritó:

—Afá, quítate los mocos que no dejas oír al fenómeno, a la voz aristocrática de Puerto Chico.

La voz aristocrática de Puerto Chico dejó de cantar y preguntó:

—¿Tú lo haces mejor, Matao?

Macario Martín le lanzó una barruenda:

—Toma, trabaja y calla, que te estropeas la garganta.

Sas terminó de llenar una caja de merluzas.

—¿Quién me hace un cigarrillo? A ver esos ayudantes. — Se refería a los engrasadores —. ¿Quién me hace un pito?

Manuel Espina se frotó las manos contra el traje de aguas.

—Voy a secarme las manos y hago los cigarrillos que queráis.

Se pidieron cigarrillos.

—¿Con el tabaco de quién? — preguntó Espina.

—Con el del contramaestre — dijo Sas —. Con el del contramaestre, que tiene un buen lastre.

Afá no contestó. Manuel Espina se fue de la cubierta. Los hombres de cubierta hicieron un alto en el trabajo. El contramaestre alzó la mirada al puente. Desde una de las ventanas los contemplaba Simón Orozco.

—Esto se acaba en seguida, patrón — dijo Afá —. Van a salir unas doce cajas de merluza; menos de pescadilla. Cuarenta de besugo, o cosa así.

—Idlas bajando a la nevera para acabar antes — ordenó Orozco —. Al anochecer se nos va a poner mal tiempo.

En la galleta del palo de proa descansaba un pájaro arrendote. La mirada de Orozco se fijó en él. Afá siguió la mirada del patrón.

—Mal signo — dijo Afá —. Además, está oliendo la mar.

Miró Orozco hacia la mar. Lejana, azuleaba una gran cintura. Afá opinó:

—Sardina o arenque, a los pastos de costa.

La cintura la forman los grandes cardúmenes de peces que dan un color a la mar.

Manuel Espina volvió de la cocina con un manojito de cigarrillos. Se los fue poniendo en las bocas a los peticionarios; les dio fuego. La pausa del cigarrillo clausura un tiempo de trabajo, abre uno nuevo en el que el marinero entra satisfecho. Juan Arenas, que se había retrasado en la guardia, fue a las máquinas. Gato Rojo no tuvo necesidad de salir a la cubierta, porque ya estaba todo el bacalao preparado. Salarlo era negocio de la gente del rancho de proa.

A las seis de la tarde terminó el trabajo. Los tripulantes regresaron a sus ranchos. José Afá y Macario Martín colocaron el cubridor de hierro de la escotilla de la nevera. Guarnía la mar y no fue necesario afretar la cubierta resbaladiza de las babillas de la pesca, de los peces machacados, de los desperdicios. Afá y Macario Martín se lavaron en los cubos de limpieza; después entraron en la cocina.

—Ahora hay que beber vino — dijo Macario — para que la sangre coja fuerza. Hay que echar la reuma que se pesca en esta andanza, para poder descansar bien.

El contramaestre afirmaba con la cabeza.

Simón Orozco, en el puente, había comunicado al barco compañero el total de la pesca. Calculaba las cajas a cincuenta quilos. Era el cálculo de la marea, el de la Lonja era a cuarenta, una con otra. «Poca pesca — dijo el patrón del «Uro» —, pero entrando en el banco se sacará más. Esta noche tendremos trabajo.»

Simón Orozco quedó un momento pensativo, con las manos

en las cabillas de la rueda. Había terminado el trabajo. La cubierta estaba vacía. A su estribor lejano, visto y no visto en los balances, navegaba el «Uro». También él se sentía vacío con una larga perspectiva de algo, que entreveía, en lo remoto de la mente. El vacío de la mente oleaba y tenía sus balances. No podía fijar aquel algo. Estaba pendiente de la marcha, atendiendo a las aguas y a los cielos cubiertos. La lluvia, que había aumentado, y las salpicaduras de las olas al romper sobre el barco, tatuaban los cristales del frente del puente de regueriilos, de lagunillas, de espejillos. Culebreaban los regueros, se desprendían las gotas. Veía, entreveía borroso, el palo de proa. A su estribor estaba la mar creciendo. El «Uro» era una mancha negra. Simón Orozco, cuando estaba solo en el puente, hablaba en voz alta o cantaba. Simón Orozco comenzó a cantar. Cantaba en vasco una canción del campo, una canción de la escuela, una canción de los montes de helechos, de las altas cimas, de las nubes que pasan. Simón Orozco vivió en el puente, durante un rato, como dentro de una campana de cristal. Cuando bajó un bastidor del frente, entraron las aguas desmenuzadas del cielo y la mar. Por el tubo acústico ordenó a Manuel Espina las revoluciones del motor. Luego quedó silencioso y preocupado.

Gato Rojo mostró al contramaestre los anzuelos que había preparado. El moñete de hoja de maíz lo había sustituido por crin e hilos rojos. Afá le preguntó:

—¿Tú crees que con esto van a caer mejor?

—Si no caen con esto — respondió —, es que le han perdido el gusto a comer. Ya verás.

—A la vuelta lo veremos. Hay que sacarles unas perras a los bonitos.

Macario Martín intervino.

—Hay que asegurarse una noche de farra, porque si no estamos mataos.

En su litera del cuarto de derrota, Paulino Castro, la vista al techo, los brazos cruzados bajo la cabeza, las piernas cruzadas y la respiración profunda, meditaba. Meditaba en lo que había meditado muchas veces, muchas mareas. La tienda de comestibles de su mujer le ofrecía un buen retiro. Cuatro años más en la mar. Cuatro años para redondear los ahorros y se acababa el pescar. Se haría vendedor de bacalao, quehacer más tranquilo, más lucrativo. Pero tenía que quedar como un hombre con su mujer. Ella se había casado con un pescador, no con un tendero. Los compañeros le habían dicho cuando se casó: «Buen braguetazo, Paulino, ahora la mar para los pobres». Él estaba demostrando que los hombres honrados, a pesar del dinero, siguen en la mar. Pero con cuatro años más cumplía. Vender bacalao o despachar vino, si se podía tomar en traspaso la tienda de al lado. Con el ultramarinos y la taberna, se aseguraba la vida. Entonces la mar para los pobres. Gran Sol para los que no habían tenido suerte o se gastaban el dinero en las tabernas, o se lo jugaban, o tenían muchas bocas que alimentar. Gran Sol tachado.

Paulino Castro llevaba la meditación hasta el ensueño. Acaso con un poco de dinero fuera posible comprar una motora para dedicarla a la bajura. Armador en pequeño, pero armador al fin. Dejar la taberna al atardecer para irse al muelle a ver la descarga. Entrar en la Lonja como un armador de verdad. Acaso el saludo de los pescadores: «Buenas tardes, señor Castro». ¿Señor Castro o don Paulino? Con dos motoras, seguro el tratamiento. Don Paulino. Paulino Castro era don Paulino. Gran Sol tachado.

En el rancho de proa Artola contaba una anécdota de un pescador de Bermeo. A los lances más ingenuos, ponía Venancio un dejo de socarronería que los transformaba, que los hacía difíciles e indefinidos, casi estúpidos, casi profundos y jocosos.

—Kepa el marica, andaba y andaba — decía — rondando a uno que era manco de la derecha. En el bar ya contaban que no se podía defender si Kepa se le echaba encima. Kepa cosía redes mejor que ninguno y no quería embarcarse; por eso le decíamos marica. Yo no creo que fuese marica, a mí nunca me dijo nada, pero podía ser porque a algún veraneante de Bilbao se le pegaba todos los agostos y fumaba rubio y bebía vermut de botellín y tenía siempre cinco duros. La de veces que a mí me habrá convidado Kepa. Ahora que tuve que dejar de que me convidase más, porque, si no, los que no convidaba decían que tal y cual. Para mí Kepa era un vivo, pero había que seguir diciendo que era marica porque si no los demás le podían llamar a uno marica y luego las mozas, si te las llevabas a los rincones, te decían que eras marica o no querían bailar contigo. Lo mejor es decir lo que dicen los demás.

Venancio Artola se quedó un momento pensando. Joaquín Sas lo acució:

—Bueno, ¿y qué? El marica ése, ¿qué?

Venancio Artola se encogió de hombros y dijo:

—Nada. Ya lo he contado.

Joaquín Sas se asombró.

—¿Que has contado qué?

—Qué va a ser — protestó Venancio —, qué va a ser, lo del marica, hombre.

Joaquín Sas hizo un gesto de extrañeza. Cogió su botella de vino y bebió largamente. Suspiró.

—Bueno, Venancio — dijo —, tienes razón, mucha razón, cuenta otra cosa.

Venancio Artola se amoscó un poco.

—¿Es que no tenía gracia o qué?

De pronto Venancio se echó a reír. Se reía suavemente. La risa de Venancio fue aumentando hasta transformarse en una carcajada. Estaba sentado en el catre y se golpeaba los muslos con sus grandes manos.

—Ya, ya — dijo entrecortadamente —, no habéis entendido — volvió a reírse —, no habéis entendido. Tú, Sas, no has entendido nada. ¿Tú has entendido, Juancho? — le dijo a Ugalde —. Tú, sí habrás entendido.

Juan Ugalde hizo un movimiento con las cejas, que lo mismo podía ser una afirmación que una negación. Venancio Artola se animó.

—Pues voy a contar otra, a ver si la pescáis.

Hizo una pausa. Los ocupantes del rancho estaban expectantes.

—Un chico pelotari — comenzó —, que yo conocía desde pequeño, se lió con una de Bilbao. Entre que si iba y venía mucho de Bilbao, se enteró el padre y el cura. El padre le dijo: «¿Conque en éstas andamos? Pues eso ya verás como lo pagas». Y el cura, que era castellano, también le dijo: «Mira que eso se paga». Él no hizo caso; le llamábamos Amurrio, no sé por qué. Había estado, decía él, en la guerra en Amurrio, pero vete a saber la verdad. Pues no hizo caso ni al padre ni al cura. La madre lloró mucho, pero él ni caso.

Venancio Artola hizo una larga pausa. Terminó:

—Acabó en el hospital.

Venancio Artola guardó silencio hasta que Joaquín Sas dijo agriamente:

—Bueno, ¿y qué? No me vas a decir que ha acabado ahí. Es la historia más idiota que he oído en mi vida.

Venancio miró a Juan Ugalde, se encogió de hombros y dijo:

—Tampoco esta vez ha entendido.

—Cómo voy a entender — gritó Sas —, si eso no tiene ni pies ni cabeza. Si eso no es ni verdad ni mentira, ni tiene argumento ni sustancia ni nada.

—Que te crees tú eso — dijo Artola —. Esto que he contado son lo que se llaman parábolas. ¿Tú no nas oído nunca parábolas?

Venancio no pudo contener la risa. Repitió entre carcajadas:

—Parábolas... parábolas, hombre... parábolas.

Estaba oscureciendo. De las máquinas llegó el grito de llamada. Era la voz de Gato Rojo.

—¡A virar!

Salieron los hombres de los ranchos. Simón Orozco había encendido las luces del barco. Principió la maniobra de la segunda sacada del día. Los tripulantes se repartieron por la cubierta.

Cuando izaron el copo y la cubierta se llenó de pesca, Simón Orozco decidió quedar al garete durante una hora, hasta que se hiciese la selección del pescado y se devolviese a la mar su basura. Ya era de noche.

Las luces del barco compañero cabrilleaban en las aguas. Llovía abundantemente. Macario Martín trabajaba con afán, como todos, para ganar tiempo a la noche y a la andada hacia el banco Gran Sol.

Paleaban la basura Artola y Ugalde. Fosforecía la mar. Las cailas y su clan subieron de las profundidades, pegándose a los costados del barco. Las cailas se dejaban mecer por las aguas, casi en la superficie, esperando que las paletadas de pesca les llegasen hasta la puntiaguda cabeza; entonces abrían la boca y la cerraban automáticamente. La paletada desaparecía entre sus mandíbulas.

Simón Orozco odiaba a las cailas. Llamó a los engrasadores Juan Arenas y Manuel Espina. Ordenó:

—Echadle un gamo a la grande, a ésa que está pegada a estribor. No la saquéis. Procurad rajarla.

Arenas y Espina cogieron dos grandes bicheros y apresaron la caila. El animal no se movió. Instantes después reaccionó al dolor. Rabiosa, desesperadamente, se debatía. Los engrasadores apalancaban los gamos sobre la tapa de regala. Simón Orozco animaba la función.

—No la dejéis escapar, rajadla bien — decía con saña —. No la dejéis escapar, no apalanquéis mucho, rajadla bien.

Macario Martín se asomó por su amura para ver la pugna. Comentó en voz baja:

—¿Qué le habrá hecho ese pobre animal al patrón?

No lo había oído Simón Orozco, pero se volvió como el rayo a Macario Martín. Dudó un segundo, después gritó:

—Macario, coge un gamo y échales una mano. Rajadla bien.

Antes de que Macario Martín tuviera ocasión de prestar ayuda a sus compañeros, la caila, con el zambullo fuera, abierta desde la boca a la fosa nasal, se perdió en las aguas. Simón Orozco se rió estentóreamente; aprobó la faena:

—Muy bien, muy bien. Ya se lleva buena.

Como una tentación, como una mala tentación, volvió la caila al costado del barco, rodeada de su clan excitado por la sangre fraterna. Como una tentación, como una mala tentación fue su aparición para Simón Orozco.

—Echadle los gamos.

Los engrasadores y Macario Martín obedecieron. La caila fue apresada de nuevo. Otra vez la pelea. El gamo de Macario le rasgó la mandíbula inferior. Por fin la caila se desasió y se perdió definitivamente en los fondos. Simón Orozco entró en el puente. Marcó en el telégrafo: Avante, Media. Vociferó por el tubo acústico, porque Gato Rojo se había retrasado a su llamada.

El «Uro» emprendió marcha siguiendo las aguas del «Aril». Iban hacia Gran Sol. Los barcos navegaban contra el viento cabeceando mucho. Simón Orozco estaba contento al timón. Unos minutos más y Paulino Castro le tomaría el relevo.

Macario Martín, junto a los engrasadores, que abrían bacalaos, preparaba merluzas y comentaba:

—El patrón tiene venas. Estoy seguro de que ha mandado marchar por lo de la caila. Si vuelve a dejarse ver el animal se tira al agua a rematarlo. El patrón tiene venas.

Juan Arenas canturreaba un tango. Manuel Espina interrumpió la misteriosa meditación de Macario Martín.

—A ver cómo se te da luego el ponernos, bien puestas, pero bien puestas, ¿eh?, unas cabezas de bacalao.

—No hay tiempo. Eso tiene que cocer mucho; eso es como comer callos en tierra.

—Pues mañana.

—Mañana ya es otra cosa.

Domingo Ventura desde el portillo de la cocina saludó a los trabajadores.

—¿Se ha pescado mucho?

Macario Martín le respondió:

—Sal a verlo.

—Tengo que hacer.

Domingo Ventura desapareció en las entrañas del guardacalor. Macario Martín punteó el final:

—Vaya maula que tenéis por jefe, muchachos. Ese tío ha nacido para mandar una hamaca, no las máquinas de un barco. Para mandar una hamaca y todavía estaría cansado de trabajar.

Paulino Castro hizo el relevo a Simón Orozco. Éste dijo:

—Si mañana no hacemos capa, vamos bien; la mar está empeorando.

Trabajar en cubierta era, en aquellos momentos, uno de los trabajos más duros del mundo. El contramaestre Afá, para no caerse, apoyado como estaba con las espaldas en el palo de proa cara al puente se echó una estacha y se abitó a él.

El banco Gran Sol, el banco centro de la carrera de los pesqueros, esperaba a sesenta millas al suroeste, con mala mar, viento recio y lluvias.

VI

AL amanecer amainó algo la última furiosa collada del norte. Llovía apretada y fuertemente. No había perspectiva de horizonte en la mar; rompían horizonte y olas en la proa. Una mancha de claridad cenicienta cubría la nave y su combate. El «Aril» navegaba gelatinosas aguas bicolores: verdes, de los verdes oscuros del septentrión, en su torno inmediato; negras, de las profundas negruras minerales — brilladoras, titilantes, engañosas — del carbón, viniendo a la reñida del naufragio. El «Aril» estaba en la capa en aguas del banco Gran Sol.

Simón Orozco llevaba el timón, haciendo la capa: poco a poco el motor y proa al viento. Paulino Castro atendía a la radio. Habían perdido de vista al barco compañero desde las primeras horas de la madrugada, desde el primer choque con la collada del norte. Comunicaban con el «Uro» por la radio. Nada iba mal. «Nada va mal — dijo el patrón de pesca del «Uro» — por ahora...»

Macario Martín volvió de la cocina a su rancho. Entró frotándose un hombro. Subió a su litera. Dijo:

—Es inútil. Estoy tronzado. Es inútil. Hay que esperar que calme un poco.

Ninguno de los compañeros protestó. Macario empezó a barbarizar sobre los malos tiempos:

—El sol se va de p... Venga agua por el balcón. La mar está...

Interrumpió su discurso un fuerte balance. Se agarró el hombro dolorido con la mano del delito e hizo la queja.

—Capa, capa, capa, el tío este nos va a tener haciendo capa siete días. Debiera haber tirado para puerto. Debiéramos estar ya en Bantry.

—En casa — dijo Afá.

Gato Rojo aguantaba marea hecho una bola en su litera. Juan Arenas tenía el estómago revuelto y un cierto remusgo de miedo.

—Me descomponen las capas — acertó a decir —. Me descomponen las capas — repitió.

Macario Martín bajó de su litera y se tumbó en la de Manuel Espina.

—La mía — explicó — está más húmeda que la mar. Por ese ojo de buey entra el diluvio.

Juan Arenas se incorporó en su litera. Preguntó:

—¿Cuánto durará ésto, José?

Afá dijo calmosamente:

—Tres, cuatro, diez horas. ¡Quién sabe!

Se frotó las manos nerviosamente el engrasador.

—Debiéramos estar en Bantry — dijo —. El patrón ya veía lo que se acercaba...

Sonrió Macario Martín.

—Sí, en Bantry — afirmó.

El contramaestre comentó en voz baja:

—En casa, en casa.

Trepidó la embarcación y dio un bajón como si hubiese pasado un bache. Juan Arenas se quedó un instante mirando con los ojos muy abiertos el techo del guardacalor. Guiñó la luz de ordenanza. Se hizo un silencio. Macario dijo:

—Debiéramos estar ya en Bantry.

—Baja la mar — dijo Afá —; le dan repeluznos, pero baja. No puede con nosotros.

—Este viento no se va tan pronto — contradijo Macario —. Volverá en seguida, volverá más rabioso. Está en la brega.

Juan Arenas se echó en la litera. Gato Rojo estiró las piernas, dejando de ser un nudo sobre el catre. Macario Martín sonrió, seguro de sí mismo.

—Voy al fogón — dijo —. Voy a ver si se puede hacer algo.

El «Aril» sostenía con sus palos un cielo gacho, grueso, gris.

Para Manuel Espina aún era de noche. En el clima nocturno de las máquinas — luces, sombras, zumbidos, calor, sueño — el engrasador esperaba el término de la guardia; con la finalización de la guardia, el aflorar al día, como en un despertar voluntario, dejando atrás el espacio cercado del hierro o la tiniebla, conquistando en una sola aspiración, en una sola mirada, la libertad de la luz cenicienta. Para Manuel Espina, en la guardia, el pensamiento tenía los puntos de absurdo y de repetición de las pesadillas.

Por el rancho de proa se discutía la capa. Los hermanos Quiroga — el barbilampiño, el barbirrucio — formaban los dos puntos de ortografía para la enumeración de Joaquín Sas.

—Hace dos mareas la capa, ¡eh, Juan! ¡Eh, Celso, la hicimos porque al patrón le dio la gana! Con tiempos peores se ha pescado otras veces. ¿No es verdad, Juan y Celso? Mareas de aguantar mar de capa en arrastre, mareas de invierno por la mar de Francia echando las artes, mareas, tú no viniste, Venancio; pero tú, Ugalde, te acordarás, como aquella que entramos en Castletown casi sin los barcos.

Venancio meditaba sus preguntas.

—Entonces, Sas — dijo —, ¿qué dices de esta capa?

—Que a la tarde tiramos la red.

—Bueno, ya, pero, ¿qué dices de esta capa? — repitió Venancio.

—Ya no es necesaria. Ya, si quiere, puede echar el arte.

—Tú, Sas, eres como un patrón de pesca, pero desde el rancho. Sal a ver. Dile a Orozco que está para echar la red y te echa a ti a la mar.

—Contigo, Venancio, no se puede hablar. Crees que Orozco es Dios, que sabe todo lo que ocurre y puede ocurrir. Crees que es el patrón más seguro que anda a la mar. No hay patrón seguro. Todos se equivocan alguna vez y siempre cuando no deben. Entonces vete a pedirles cuentas, cuando estés dando de comer a los cangrejos en los fondos. Sí, vete a pedirles cuentas.

—Por eso me parece bien que siga en la capa, por los cangrejos.

—La capa ya no es necesaria.

Macario Martín entró en el rancho de proa con las manos tiznadas de carbón.

—Hoy no hay desayuno, mozos — dijo —. Apretaos el cinturón por si no hay comida.

Juan Ugalde fue tomado de un súbito furor.

—Capa, capa, y encima no hay comida. Te diviertes, Matao, tú te diviertes mucho, pero las vas a pagar.

—Yo no me divierto, Juan, el carbón está mojado porque alguien dejó el portillo abierto. Yo no voy a ir ahora por carbón. Pan no hay, vete tú a sacarlo de la nevera. Patatas no hay, vete tú por ellas. Pesca no hay, porque la que estaba colgada se la ha llevado el agua, vete tú a proa y tráela. No hay nada de nada, invéntalo tú. Yo no me divierto; qué más quisiera yo.

—Yo tengo hambre — dijo Juan Ugalde —, y tengo que comer. Tú tienes obligación de hacer la marmita a mediodía y ahora de darnos algo.

—No hay.

—Ayer ya se veía que íbamos a hacer capa, vago, mierda de vago. No hay porque tú eres un vago.

Macario Martín se dirigió a Joaquín Sas.

—No son marineros; en cuanto falta de comer se acaban los hombres.

Los Quiroga tomaban la opinión de consuno. Celso hablaba, Juan, afirmaba con la cabeza y ayudaba a la afirmación moviendo las manos.

—Matao, de esto se va a enterar el patrón y ya veremos lo que dice.

—El patrón tiene bastante con la mar.

—Ya veremos.

Macario Martín jugó la baza de su gracia personal.

—Hijos míos — dijo —, estoy muy duro, lo demás os ofrecía una pierna. Qué se va a hacer, hijos, cuando todo se pone en contra. Nos podemos comer los unos a los otros...

Juan Quiroga no tenía la palabra fácil, resumía profundos pensamientos en un solo vocablo.

—Majadero.

Se agarró Macario para aguantar un balance, se agravó su rostro.

—Hijo mío, calma, no insultes, no te metas conmigo que yo tengo la lengua larga, no seas pasmado y hazte cargo.

A Macario Martín no le hubiese molestado el denuesto violento del habla y la costumbre marinera. Le hería profundamente el insulto de Juan Quiroga. Se despidió.

—No hay nada — dijo —; de modo que aguantarse. Y tú

— señaló a Juan Quiroga — guárdate esos insultos de oficina para endilgárselos a tu viejo.

La voz de Juan Quiroga le alcanzó antes de que cerrara la puerta.

—Majadero.

En el rancho de proa se hizo un silencio. Sas habló lentamente, mientras miraba por el ojo de buey.

—La mar se va calmando, dentro de poco llamará el patrón para que suba alguno a la rueda. La última guardia antes de la del contramaestre la hice yo. Detrás de mí vas tú, Venancio.

Ya no rompía el horizonte en la proa. El cielo se levantaba, se ensanchaba, blanqueciéndose. Menguaba el oleaje. La lluvia se dulcificaba en sirimiri. Renacía la estela. La chusma de los petreles volaba al sebo y los aceites, haciendo recortes a las olas. Caía al estribor del «Aril» la mancha lejana del «Uro» compañero.

Afá abrió el ojo de buey de los pies de su catre para tomarse un aire. El rancho estaba cargado de humo estratificado y perezosamente movedizo. Afá respiró los buenos vientos de la andada. Protestó Arenas — en el aburrimiento la protesta, en el trabajo la protesta, en el peligro, la protesta, ¡qué distracción, qué descanso, qué bastimento de valor! — de la corriente fría. Con la calma el contramaestre bebió de su botella, delicadamente preservada durante la capa entre el cabezal y la ropa sucia metida en una bota de goma; bebió feliz y largamente. Dijo «top» y cacheteó el corcho. Arenas había calentado su vino entre las piernas y escupió el trago. De nuevo protestó de la corriente de aire. Luego cambió favores. Dio señales de no seguir protestando, pero pidió al contramaestre su botella. Afá fue generoso.

A Manuel Espina entre las muchas partes de su cuerpo que le dolían en las capas, y las horas, las malas horas, que tenía de guardia, en cuanto la mar calmó y se tumbó en el catre, se quedó desarbolado, dejándose mecer en una duermevela de dolores y profundas aspiraciones como de pequeña felicidad. Cuando Arenas, abusando, le quiso pasar la botella de Afá, Manuel ni se movió. La botella volvió a su dueño desde Arenas: un último trago, el no bebido por Espina, un completo abuso.

Domingo Ventura, en su camarilla, mordió un trozo pequeño

de carne de membrillo. Tenía el estómago vacío. Luego sacó de
una lata cuatro galletas y las fue comiendo con delectación y
sosiego. Domingo Ventura no pensó que tenía gusana en el
intestino y que por eso sentía hambre a todas horas, sino
pensó en que era como una caila, como una caila de setenta
quilos de peso capaz de zamparse setenta quilos de carne de
membrillo, de galletas, de onzas de chocolate y de acabar con
la leche condensada de setenta latas brillantes, como peces.
Entre las novelas del Oeste y los ultramarinos nacionales tenía
perdido el pensamiento. El perezoso, el glotón, el sinvergüenza
Domingo Ventura se fue al rancho de popa a refregar su bien-
estar por los hocicos de los engrasadores, sus subordinados. Ya
era tiempo de hablar en el puente. Simón Orozco cambiaba impresiones con Paulino Castro. Había subido a la guardia Venancio Artola. Los dos patrones fumaban antes de entrar a
descansar en el cuarto de derrota.

—Dos horas de andada — dijo Orozco — y echamos el arte.

—En dos horas calmará más.

—Al atardecer levantará la mar. Estos vientos repiten. Si
nos salvamos de hacer capa esta noche...

Juan Ugalde pasó a la cocina de marmitón hambriento, dispuesto a recibir órdenes de Macario Martín, dispuesto a las primeras catas de la comida en preparación. Los dos Quiroga — el
de los ojos turbios, el de los ojos de pulpo — formaban terna
con Sas, discutiendo inverosímiles negocios de la bajura en la
cerrada fala del Finisterre a la mar. Las motoras, las cinturas
de sardina o de anchoa, las barricas de raba, el juego de las
artes ocupaban sus cálculos imaginativos de marineros rasos,
pobres y esperanzados. «Una esperanza — dice Sas — de tener
motora de uno y andar a la sardina como patrón, para salir
de pobre.» Las Américas del oficio están en la bajura.

A las once y media de la mañana Macario Martín retiró de la
marmita la comida de Simón Orozco y de Paulino Castro. A las
doce menos veinticinco no se cabía en la cocina. Juan Arenas
sirvió un plato para el de guardia en las máquinas; pidió permiso para servirse él. Macario Martín, tras una mirada a los
comensales, concedió el permiso. La marcha de Juan Arenas
hizo sitio. Se apartó comida para Celso Quiroga, que estaba al
timón. José Afá pidió un jesusero. A Manuel Espina le gustaba

decir el «A Jesús» que abría la comida. Manuel Espina sabía
dar solemnidad al trance; aprovechó una calma en la discusión
entre Joaquín Sas y Venancio Artola, un silencio en la organi-
zación vociferada de Macario Martín, una distracción sin blas-
femia de Juan Quiroga y la atención expectante de Domingo
Ventura, Afá y Ugalde. Al «A Jesús» llegó alguno con retraso
en el quitarse la boina, pero hubo respeto.

El jesusero suele aguantar las bromas de la comida. Manuel
Espina no admitía bromas. Macario Martín era un técnico
de la chunga. Hablaba con el contramaestre.

—Si a ti te gustara echar jesuses, ¿qué te hubieras hecho?

—Cura, Macario.

—Pues yo patrón.

Manuel Espina metía la cuchara en el condumio y le miraba
de reojo. Se aproximaba el escarnio. Macario Martín era tenaz
en la burla.

—Si a ti José, te dieran a real el jesús, seguro que ganabas
un buen puesto de beata en la iglesia del cura Remojo y vuelvo a remojar.

Macario Martín siempre jugaba del vocablo hasta el absurdo. Proseguía:

—¿Y si en vez de un real te dieran una indulgencia, José?

—Iba a echar jesuses — decía Afá — el obispo.

Macario Martín garganteó un carcajeo siniestro, teatral,
desafiante.

—Manuel Espina — dijo —, vas para obispo o para cornudo.
Los únicos que echan jesuses de balde, Manuel, los únicos...

Manuel Espina dejó la cuchara quieta en el aire.

—Con tu mujer, Matao.

No se inmutó Macario Martín. Concedió:

—Con mi mujer, que es cornuda.

La BBC estaba dando malos tiempos en Islandia, en el mar
del Norte, en Irlanda, en los dos canales, en la mar de Francia;
malos tiempos hasta el Finisterre español. Simón Orozco con
el bocado en la boca, sin masticar, atendía preocupado a las
noticias de la emisora. Cuando terminó la BBC el parte marino,
Orozco comenzó lentamente a masticar. Paulino Castro preguntó con la voz tomada de un dejo de ansiedad:

—¿Qué dice el míster?

Simón Orozco fue lacónico:

—Danza.

Se quejó Paulino Castro.

—¿Más danza?

—Más danza y de la grande.

A través de los ventanales del puente, Paulino Castro contempló la mar.

—No parece.

Simón Orozco contestó con la boca llena.

—Nosotros nos equivocamos, ellos no. Habrá que aguantarse.

—Se levanta la mar, pero no parece... Hay poco viento.

—Sí, hay poco viento y hay que aprovecharlo. Vamos a echar el arte.

Paulino Castro licenció a Celso Quiroga.

—Vete abajo.

El marinero dejó el timón al patrón de costa y se volvió hacia Simón Orozco.

—Señor Simón, ¿va a echar la red? — preguntó.

—Sí, quedan horas hasta que bailemos sin ganas; hay que aprovechar.

Celso Quiroga quiso dar su opinión.

—Pero si hay malos tiempos...

No le escuchaba el patrón de pesca. Celso Quiroga salió al bacalao del puente y cerró de golpe la puerta.

—¿Qué le pasa a ése? — preguntó Orozco.

Paulino Castro se encogió de hombros. Respondió:

—Tal vez miedo. Salir de una capa y entrar en otra es de mala suerte.

—De mala suerte — dijo agriamente Orozco —, es estar toda la vida en la mar.

Cuando Celso Quiroga entró en la cocina, Macario Martín tenía ya harto al engrasador Espina con la broma de los jesuses. Celso comenzó a tomar su comida. De pronto gritó:

—Matao, cállate ya, que luego vais a echar jesuses todos.

Se estaba limpiando la cuchara con un trapo.

—¿Qué hay por el puente? — preguntó.

—Malos tiempos desde el Norte hasta el Cantábrico — dijo Celso; luego fue lacónico a imitación del patrón de pesca —: Danza.

En la cocina se guardó silencio. Celso llevó las preocupaciones al máximo.

—Además va a echar la red.

Macario Martín se indignó.

—¡Que va a echar la red! Está loco. Este tío está loco. ¿Quién va a sacarla? Con tal de llenar la nevera, le importa todo un bledo. Mierda para el tío.

Desde las máquinas llegó el pregón de la faena. José Afá tenía puesto el pantalón del traje de aguas.

—Me lo suponía — dijo.

Macario Martín se quejó a gritos:

—Ni comer. Ni comer.

Le animó el contramaestre:

—Anda, Matao, deja de quejarte y sal a cubierta.

Lanzaba el «Uro». En el puente, por radio, Simón Orozco aconsejaba al patrón de pesca del barco compañero. «Ojo a la corriente y a la marejada — dijo —; ojo a la hélice; ojo, mucho ojo, no haya que lamentarlo».

Las olas traían un extraño rumor, como de grandes hojas de acero quebrándose, como de alas batiendo en el aire lenta e insistentemente. Rozaban los costados del barco, rompían en la punta de proa, se sucedían en la lontananza, y lo llenaban todo de su rumor metálico, alado y escalofriante. Macario Martín en la amura de estribor, junto a la proa, comunicó a su amigo el contramaestre su sensación:

—Esta mar da dentera.

—Esta es la mar — respondió Afá — de las capas de ocho días.

Simón Orozco observaba la faena, con la mano en la manija del telégrafo. Domingo Ventura estaba en el bacalao del puente contemplando con mirada aburrida el trabajo de los compañeros. Comenzó la andada de arrastre. Domingo Ventura quiso conversar con el patrón de pesca. Simón Orozco estaba a la rueda y no le prestó atención. Domingo Ventura estuvo un rato en el espardel, pegado a la chimenea, por la parte de sotavento; luego bajó a la cocina en busca de diálogo. En la cocina, nadie; el rancho de proa le era hostil; el rancho de popa lo tenía calculado para el atardecer. Desde la pasadera de máquinas, Ventura intentó una conversación a gritos con Juan

Arenas. Se cansó y se fue a su camarote. Juan Arenas se alegró.
Pensó que Domingo Ventura era un baboso. Canturreó la palabra. Se obsesionó con la palabra. Baboso y mala persona, baboso y tirano, baboso y baboso. Baboso y engrupido. Juan Arenas usaba a veces los vocabularios de los tangos y a veces, en
la soledad de la guardia, inventaba letras y músicas de tango
con aplicación inmediata a sus compañeros. En los ranchos
dormían. En el camarote y en el cuarto de derrota dormían.
Velaban Simón Orozco y Juan Arenas.

El viento norte amaga. El viento norte avisa. El rumor de
las olas es el rumor de las multitudes. El ruido de las olas es
el ruido de los cataclismos prehistóricos, del cataclismo bíblico.
Las olas hacían ya ruido y el viento norte estaba golpeando.
Llevaban cuatro horas de arrastre cuando Simón Orozco ordenó
por la radio la recogida de la red.

Cuando los tripulantes salieron a cubierta la marejada había
aumentado, el «Aril» casi trompeaba, el cielo y la mar formaban
una axila negra y profunda en cuya concavidad parecía que
fueran a ser aplastados los barcos.

Apenas se sostenían los marineros sobre la cubierta. Tras la
virada, en la convergencia de los barcos, Simón Orozco, agarrado a las cabillas de la rueda del timón tenía un gesto preocupado. La dificultad de la marcha estrepaba la malleta, hispien-
do el aforro de fibra vegetal, hisopando los rostros de los pescadores.

La punta de la red fue pasada al «Uro». Se alejó el «Aril»,
principiando a dar vueltas en círculo en torno del barco compañero. Simón Orozco estaba atento a la sacada; recomendó
por radio el cuidado en la maniobra. El copo de la red flotaba
a estribor del «Uro», empujado por el oleaje y el viento, hacia
el costado del barco. Un golpe de mar unió red y barco. El
patrón de pesca del «Uro» timoneó a babor, con el motor en
marcha.

La red corrió a popa y fue enganchada por la hélice. El
copo se hundió de golpe, luego la mar de popa se cubrió de
peces. El cable de sostén de las puntas de la red se había
partido.

Simón Orozco se agarró frenéticamente a las cabillas de la

cuarto de derrota. Despertado bruscamente, asustado, preguntó a Orozco, acercándose al ventanal del puente:

—¿Qué ha pasado? — dijo con temor.

Simón Orozco golpeaba con los pies el entablillado.

—Torpes, torpes. Avería, avería... Vamos listos. Torpes, vamos listos. Con esta mar, remolque. Mira, mira—señalaba al «Uro»—. Han enganchado bien la red. No la sueltan. No la sueltan. Una red perdida y lo que venga.

Repentinamente Simón Orozco se calmó.

—Coge el timón, Paulino. Voy a llamarles.

Ya comunicaban del «Uro».

—Acercaos. Mal asunto. Se ha enganchado en el eje el cable de sostén. Está toda la red abierta. Habrá que remolcarnos.

El «Aril» se acercó al barco compañero. Los tripulantes de los dos barcos estaban en las cubiertas. Hablaban a gritos. Nadie se entendía. Simón Orozco, desde el bacalao del puente, pidió silencio a su tripulación.

—Vamos a dar remolque. Aseguradlo en los abitones y en el palo. Vosotros — dijo a su tripulación — tomad el cable con la boza. Listos.

La maniobra tuvo dificultades. Los barcos comenzaron a navegar lentamente hacia el norte. Paulino preguntó a Simón Orozco:

—¿A dónde?

—Bantry, si llegamos — respondió el patrón de pesca, preocupado.

Estaba anocheciendo. Una lluvia fina, mansa, chispeada, colaboraba con las primeras tinieblas entenebreciendo la mar.

Macario Martín aplastó una mosca con el pie contra el techo del guardacalor.

—Esta era la última — dijo —. Ahora estamos de verdad en la mar. Matao el último bicho de la tierra.

José Afá sonrió.

—No cuentas contigo, Macario, ni con las pulgas.

—Somos bichos de a bordo — contestó Macario Martín —. Ahora estamos solos.

La boza de cadena sonaba en la tapa de regala, en la popa. Su sonido ácido penetraba en el rancho. Afá estaba de pie, con los brazos tendidos a las literas de los costados.

—Esto no me gusta, Macario, esto no me gusta.

—Al aumentar la mar, el cable no resistirá.

—Hace tres años se perdió una pareja de Vigo en La Cha-pelle. Atoaban hacia Francia, con mala mar. Se rompió el cable. El barco que daba remolque se fue de proa, se clavó en la mar. El otro resistió al garete, aunque la mar se le había llevado cuatro hombres. Cuando los recogieron, creo que no había ni guardacalor.

—¡Qué esperanzas! — dijo Macario.

Domingo Ventura asomó por el rancho.

—No puedo estar solo — se disculpó — en estos trances; me pone nervioso estar solo.

Macario Martín señaló hacia abajo con el dedo de su mano derecha.

—Échate en la litera de Manolo, pero no se la mees.

Domingo Ventura obedeció. El contramaestre siguió hablando de naufragios.

—Esta noche debiéramos habernos quedado al garete. Atoar con esta mar... El patrón lo hace para perder los menos días que pueda. La pesca, la pesca, y nada más que la pesca. Si ocurre algo, ¿qué? La gratificación a las viudas debe ser de risa. El seguro es peor, mucho peor. Cuando se fue a pique...

—¡Qué esperanzas, José! — dijo Macario.

En el puente, Simón Orozco dijo a Paulino Castro:

—Comunica, si puedes, con alguna pareja cercana y avisa que vamos dando remolque, que estén al tanto por lo que pueda ocurrir.

—Bien.

—Nos va costar llegar a Bantry.

El «Uro» y el «Aril» navegaban por el norte del banco. Había aumentado la lluvia y la noche era una masa negra y apretada. Las luces de los dos barcos hacían un firmamento enano, un firmamento al revés, un firmamento inarmónico.

En el rancho de proa nadie hablaba, nadie dormía. Todos yacían en sus literas, esperando.

Gato Rojo había bajado a las máquinas a acompañar a Manuel Espina. Solamente cambiaban entre ellos palabras del servicio.

—Mira el aceite.

Una pausa de comprobación.

—Va bien.

Silencio.

—¿Las toberas?

—Bien.

Silencio.

Gato Rojo se apoyaba en la mesa del tallercillo y respiraba profundamente mirando a las pasaderas. Se acercó Manuel Espina.

—Vete al rancho, Carmelo — dijo —, aquí no haces nada.

—Prefiero estar aquí.

Silencio.

Juan Arenas en el rancho de popa, pidió al contramaestre y a Macario que se callasen. Afá le explicó:

—Juan, lo peor qué se puede hacer es callar. Hay que hablar o cantar, que es como estar trabajando, como estar ayudando al barco, ¿lo entiendes?

Macario Martín golpeó con los pies en el techo del guardacalor.

—Es dar confianza a esto — dijo —, como se hace con los caballos. Animarlo. El barco tiene que oírnos. Tú lo sabes.

Juan Arenas guardaba en su taquilla una revista de deportes. Se incorporó para cogerla. Macario Martín siguió sus movimientos.

—Leer, no — dijo —. Canta.

Balbució algo ofensivo para Macario. Macario Martín recomendó:

—Calma, almirante, todos estamos nerviosos.

Los tirones del remolque que frenaban al «Aril» sobre las olas, le hacían tener movimientos de inseguridad. El «Aril» era como un caballo embridado, luchador, que quisiera levantar la cabeza. Los tirones tenían el comentario del contramaestre:

—Vamos con un cable, que se partirá, pero es mejor que ir con dos, porque nos arrastraría el «Uro» en caso de que...

Macario Martín se volvió hacia su amigo Afá.

—Rey de esperanzas, ¿por qué no callas la boca?

En el puente, Paulino Castro estaba al timón. El patrón de pesca se había sentado en un banquillo junto a la radio; fumaba.

—Ochenta millas largas — dijo Paulino Castro.

—Mañana a media tarde si todo va bien.

—Si aumenta la mar habrá que soltar el cable. Estaríamos todos más seguros.

Simón Orozco no hizo comentario. Fumaba largando el humo sobre su brazo izquierdo, remangado, moreno, sucio, con vellosidades canas. Simón Orozco pensaba en la entrada en la bahía de Bantry con mala mar. Paulino Castro pensaba en las dificultades del remolque hasta la bahía de Bantry.

A medianoche el contramaestre fue llamado al puente. Paulino Castro le cedió el timón y se sentó a descansar en el banquillo junto a la radio. Simón Orozco había bajado por la trampilla del cuarto de derrota al rancho de proa.

Al aparecer el patrón de pesca en el rancho los marineros se inquietaron. Sas, incorporado en su litera, preguntó apresuradamente:

—¿Marcha algo mal, patrón?

Simón Orozco saltó de la mesa del rancho, sonrió.

—Marchan mal estas piernas — dijo —, que ya no aguantan. Está uno para el dique.

Sas sonrió casi con agradecimiento.

—Está todavía para muchos años en la mar, señor Simón.

El patrón de pesca se mostró confidencial.

—¡Quiá! Los patrones viejos no los quieren los armadores. La mar necesita juventud, mucha juventud. La mitad de los años que yo tengo.

Venancio Artola intervino:

—Francisco el de Ea es mucho mayor que usted y sigue en la mar.

—Francisco — contestó Simón Orozco — es Francisco, no hay otro como él. Yo he navegado de contramaestre con Francisco. Francisco, Francisco... ése es aparte.

Entró en turno Ugalde:

—En la bajura hay patrones que le llevan a usted veinte años, señor Simón.

—Bueno, en la bajura se puede tirar más — dijo con un dejo de tristeza Orozco —. Yo siempre he andado en barcos de estos o en bous; ya no voy a cambiar.

Los dos Quiroga — el medio albino, el rapado — ni preguntaron, ni hicieron comentarios. Simón Orozco cambió el tono de voz:

—Bueno, estamos a unas setenta y tantas millas de Bantry. Hemos avanzado poco. Si esto no empeora, sobre media tarde entramos por la bahía.

—Eso del «Uro» — dijo Sas —, ¿se arreglará fácil?

—Esperemos que no tenga una pala rota la hélice o cualquier otra avería el eje.

Simón Orozco salió a la cocina, pasó el portillo y desde la pasadera de máquinas gritó a Gato Rojo:

—¿Cómo va eso?

Gato Rojo movió afirmativamente la cabeza.

En el rancho de popa se velaba en silencio. Al entrar Simón Orozco, Juan Arenas se incorporó vivamente.

—¿Qué, patrón?

—Calma, calma. Vengo a ver cómo van por aquí las cosas.

—Con miedo — dijo Macario —, pero aguantando. ¿Por arriba?

Simón Orozco sonrió.

—Con miedo, pero aguantando. No hay que preocuparse mucho, ¿eh, Macario?, en otras peores nos hemos visto.

—El «Uro» tira mucho, señor Simón — afirmó Macario —. Acabará rompiendo el cable.

—Tú acabarás rompiendo el cinto si sigues bebiendo.

La voz de Domingo Ventura era una voz cansada en la angustia.

—¿Llegaremos, patrón?

—¿A dónde quieres llegar tú? Llegaremos a Bantry a media tarde. Ahora que si quieres ir a otro sitio, cambiamos el rumbo y donde digas.

Manuel Espina opinó:

—Este asunto está muy serio.

—La mar siempre está seria — dijo Orozco—, yo he visto irse un barco con doce hombres, sin mala mar, a ver a los angelitos con escamas, dentro de una bahía. ¿Qué te parece?

Ofreció tabaco Macario Martín.

—¿Quiere, patrón?

—Guárdalo para ti, que luego vas a andar pidiendo, con el sincio a vueltas.

—Si nos vamos para abajo, no lo voy a necesitar.

—El diablo también fuma, Macario.

Macario Martín hizo un gesto de extrañeza.

—¿Usted cree en el infierno, señor Simón?

—¿Y tú?

Macario Martín pataleó el techo del guardacalor.

—¡Quién sabe!

El patrón de pesca sonrió.

—Esta noche ha habido que apretarse el cinturón — dijo —. Espero que mañana puedas darnos bien de comer.

Simón Orozco salió a la pasadera, fue hacia la cocina. Macario Martín hizo el comentario:

—Cuando baja el patrón a dar ánimos las cosas no deben navegar muy bien.

Pataleó fuertemente el techo del guardacalor.

—El infierno, el infierno... Todos mataos. — Hizo un ruido nasal de menosprecio. — Buena esperanza.

Al amanecer estuvo a punto de romperse el cable. Altas olas, fuerte viento, cerrado en lluvias. Simón Orozco pensó en dejar el remolque. Habían avanzado poco durante la noche. Estuvo a punto de hacer capa con el «Aril» dejando al «Uro» al garete. Al fin pareció calmar el viento.

Domingo Ventura había perdido el apetito. Macario Martín frió unos trozos de pan y se los tomó con vino. En el rancho de proa nadie pensó en comer. Juan Arenas cuando salió de su guardia se tumbó en la litera y se durmió. Macario Martín había hecho un comentario maligno.

—¿Tú sabes, Ventura, que el mucho miedo da sueño?

Domingo Ventura no había contestado. Se apretó los brazos cruzados sobre el vientre y encogió las piernas. Domingo Ventura había cambiado de litera cuatro veces a lo largo de la noche.

A mediodía estaban los barcos a treinta millas de la entrada de la bahía de Bantry. Ya no llovía, la mar había calmado, el viento soplaba a ráfagas y débilmente. Simón Orozco conversaba con Paulino Castro.

—Va bien, entraremos al anochecer.

—Va bien, aunque al amanecer ha habido un...

—Lo pasado pasado, Paulino.

Macario Martín dio de comer a la tripulación una paella gigante. Al colocar la marmita en la mesa de la cocina, dijo solemnemente:

—Apetito de muertos.

Domingo Ventura, en cuanto el jesusero abrió la comida, metió el primero, sin respeto a los turnos, su cuchara en la marmita.

Durante la tarde hubo alegría en los ranchos. Juan Arenas cantó. Afá dijo cosas crueles a Macario Martín. Los dos Quiroga fueron juntos al beque y se esperaron. Sas estuvo de visita en popa. Gato Rojo se puso a hacer una huevera con destino desconocido. Manuel Espina intentó leer una novela. Artola y Ugalde volvieron a hablar de dinero y Domingo Ventura regresó a su camarote.

Cuando Macario Martín, ya anochecido, se decidió a preguntar a su amigo José Afá si creía en el infierno — «¿Tú crees en eso de los diablos fogoneros que te achicharran en las calderas?», la voz de Gato Rojo, desde las máquinas, anunció Bantry a la vista.

Manuel Espina y Afá salieron corriendo del rancho. Gato Rojo subió a las pasaderas y se asomó por una de las escotillas del espardel. Macario Martín intentó decir algo a Juan Arenas, pero éste había salido a las pasaderas. Macario Martín saltó de la litera y se fue hacia la cocina.

En la oscuridad, al fondo de la noche, guiñaban las escasas luces de Bantry. Macario Martín asomó por el portillo de la cocina. Bajaba del espardel Manuel Espina.

—Es Bantry — gritó alegremente —, Bantry, Matao.

—Ya lo sé — dijo Macario —, ¿o te crees que estoy ciego?

Luego dio un suspiro, escupió a la tapa de regala, pero el escupitajo cayó en la mar. Dijo:

—Bantry.

VII

E STABA subiendo la marea. Las luces del puerto se reflejaban en los charcos, en el azabache de la mar, en las cubiertas mojadas de las naves. Las luces del puerto se reflejaban, también, en los ojos de Macario Martín, acodado en la baranda del espardel del «Aril».

El «Uro» entró de popa sobre la rampa. Fue amarrado fuertemente. Simón Orozco ordenó la maniobra esperando que en la marea baja se pudiese trabajar en la avería. La marea en su punto más bajo se daría al amanecer. Hasta el amanecer — dos de guardia en los barcos, dos de rumia de malas palabras, dos al vino para olvidar el puerto — había franquía para las tripulaciones.

Don José hablaba en el muelle con Simón Orozco. Míster O'Halloran representaba a las casas armadoras en el puerto de Bantry. Míster Ginebra convidaba en *Mulligan's Shop* a la primera ronda a los tripulantes del «Uro» y del «Aril».

Don José O'Halloran, alias Míster Ginebra, sacó de su cartera veintiséis libras y se las dio al patrón de pesca Simón Orozco.

—Anoto a usted — dijo.

Luego guardó la cartera en el bolsillo interior de su chaleco.

—Hoy hay fiesta en el *Dancing* — dijo O'Halloran —. Han tenido suerte. Usted, patrón, ¿querría venir conmigo a tomar copas?

—Gracias, don José, estoy cansado. Voy a dormir. Mañana hay que trabajar.

—Bien, conforme, ¿puedo invitar a su gente?

—Como quiera.

—Bien —. Hizo una gran pausa, alargó la mano para saludar a Simón Orozco —. Buenas noches.

El patrón de pesca se acercó al «Uro». Llamó a un marinero. Contó trece libras.

—Dale esto al pesca, una para cada uno, a descuento.

Saltó Simón Orozco a su barco. Llamó a Macario.

—Hay una libra para cada uno, a descuento, el que la quiera que la pida. Díselo a todos, Macario. Diles también que don José espera en *Mulligan* para invitaros.

—Bien, señor Simón.

Macario bajó del espardel y entró en la cocina. En el rancho de proa avisó:

—Míster Ginebra paga en *Mulligan*. Quien quiera una libra a descuento que la pida.

Sas saltó rápidamente de la litera.

—¿Tienes una camisa limpia, Venancio?

—Tengo para mí.

Joaquín Sas hablaba rápida y confusamente.

—No tengo ni una camisa limpia. Tú, Ugalde, déjame una camisa. ¿No tienes más que una para ti? Tú, Celso, déjame una camisa, te invito a una cerveza.

Celso Quiroga advirtió:

—Si me invitas a una cerveza grande y luego lavas la camisa, te la dejo. Si rompes la camisa tienes que comprarme otra.

—No.

Sas se puso a revolver en su saco. Extrajo una camisa arrugada. Se acercó con ella a la luz.

—No está muy sucia, puede pasar.

Celso Quiroga defendió su negocio.

—Una piltrafa que olerá a pescado, de tirar para atrás.

—¿Y qué?

Celso se encogió de hombros.

—Las chicas...

—Yo no quiero mujeres, quiero beber — dijo Sas ruidosamente —. Quiero beberme la libra que me den.

—A *Mulligan* — habló Macario — no tienes por qué ir hecho un artista de cine.

—¿Qué día es hoy? — gritó Sas.

—Sábado — respondió calmosamente Macario —. Sábado sabadillo, habrá baile.

Sas quedó un momento suspenso.

—Me tendré que lavar y afeitar.

Macario Martín desapareció hacia el rancho de popa. José Afá se estaba afeitando, mirándose en un espejo colgado de la puerta.

—Dan una libra — anunció Macario —. Míster Ginebra paga en *Mulligan*, ¿quién viene?

Afá dejó la maquinilla a unos centímetros del rostro.

—Yo voy contigo, Matao.

Macario se quitó las botas de aguas y se calzó unos zapatos. Juan Arenas pidió vez para usar el cubo.

—No tan de prisa — dijo Manuel Espina —, hay que echar a suertes, porque uno se tiene que quedar.

—Le toca a Gato Rojo — contestó Arenas.

—Gato Rojo está de guardia, pero esto es distinto, hay que echar a suertes. Vamos al motor a echar a suertes.

Juan Arenas protestó un poco, luego se avino. Juntamente con Espina bajó a las máquinas.

Macario Martín estaba muy contento.

—Hoy la voy a agarrar, José.

Dejó de afeitarse Afá.

—Es un plan para el que no cuentes conmigo.

—Peor para ti.

Macario se asomó por el ojo de buey.

—Los del «Uro» ya están en el muelle. Son los de urgencia. ¡Qué gente!

Juan Arenas entró en el rancho cantando. Macario preguntó:

—¿Quién se queda?

Señaló con el pulgar derecho a sus espaldas.

—El de las suertes...

Manuel Espina entró detrás de su compañero y se tumbó rabiosamente en la litera, golpeando el cabezal con los puños.

—Me c... en...

Domingo Ventura había subido al puente. Paulino Castro estaba sentado en el banquillo junto a la radio.

—¿Quieres tu libra?

—Sí, ¿va a ir usted a *Mulligan*?

—Luego. Diles a los de abajo que se den prisa, que no me voy a pasar aquí toda la noche esperando que vayan llegando. Que se den prisa a recoger su libra...

Se abrió la puerta del puente.

—¿Se puede, patrón?

Joaquín Sas extendió la mano.

—Espera que apunte — dijo Paulino.

Sacó un cuadernillo y apuntó: Domingo Ventura, una libra; Joaquín, una libra. Dio la libra a Sas.

En el rancho de proa discutían los hermanos Quiroga — el de las manos grandes, el de las uñas como cucarachas — sobre si habrían de pedir una libra para cada uno o una libra para los dos.

José Afá y Macario Martín salieron del rancho de popa. Se oía cantar a Juan Arenas, cantaba los tangos cortando, en el estilo de los viejos cantadores, los versos con suspiros. Manuel Espina le interrumpió:

—¿Quieres callarte, quieres dejar de fastidiar?

—Bueno, bueno, hombre.

Venancio Artola y Juan Ugalde habían saltado al muelle y no se decidían a ir solos a la tienda de Mulligan. Estaban acostumbrados a andar en banda y esperaban a los compañeros. Solos en el muelle se sentían como desamparados.

—Venga, Sas — gritó Artola.

Sas saltó al muelle.

—¿Esperamos a los otros? — preguntó Ugalde.

—¿Para qué? — dijo Sas —. Vamos de prisa, que tengo ganas de darme un buen golpe de cerveza a cuenta de Míster Ginebra.

Los tres echaron a andar hacia la tienda de Mulligan. De vez en cuando Artola volvía la cabeza. Cuando vio a Afá y a Macario, se paró.

—Vamos a esperar al contramaestre y al Matao, que vienen detrás de nosotros.

Macario Martín casi saltaba de alegría y sonreía constantemente.

—Buena se prepara — se frotó las manos —. Buena la vamos a armar.

—Ojo — dijo Afá —: nada más saltar a tierra, comenzar a beber hace más daño que beber el doble después de un rato.

Macario Martín, con las manos en los bolsillos, caminaba delante de sus compañeros, se volvía hacia ellos y explicaba la táctica a seguir.

—Después de que Ginebra invite, invito yo. Tiro mi libra en el mostrador. Si Míster Ginebra me deja pagar, cada uno de vosotros tiene la obligación de convidarme una vez hasta que estemos en paz. Si Ginebra no me deja pagar, eso llevamos en la tripa y luego cada uno se arregla por su cuenta.

La tienda de Mulligan estaba en una calle que daba al muelle. Mulligan usaba, para entenderse con las tripulaciones cantábricas, unos jirones de español con acento mejicano. La base de su extraño idioma pertenecía a sus años de emigrante en California, a su contacto con los braceros mejicanos.

En la puerta de *Mulligan's Shop* dos campesinos, con las viseras muy caladas, con las manos en los bolsillos, se refrescaban entre cerveza y cerveza. Macario Martín definió.

—Raqueros del sur parecen estos tíos.

Entraron en la tienda. Míster Ginebra estaba rodeado de los tripulantes del «Uro». Macario Martín se abrió paso y tendió su mano a O'Halloran.

—Mucho gusto en saludarle, don José.

Míster Ginebra dudó.

—Tú te llamas... te llamas — descubrió en su memoria el apodo de Macario y se echó a reír —: Muerto.

—No, don José: Matao.

—Eso, Matao. Bebed lo que queráis.

Macario extendió la mano a Mulligan.

—Viejo loco.

—Loco... loco... no. Viejo.

—Viejo, cinco grandes de Ginger Ale.

Confraternizó Macario con O'Halloran, le dio una palmada respetuosa en las espaldas.

—Don José — dijo alegremente —, va para veinticinco años que le conozco a usted. Dígaselo a estos.

O'Halloran rememoró. No encontró fechas en la memoria. Preguntó:

—¿Qué barcos? ¿De dónde?

Pausadamente Macario los fue enumerando, cogiendo con el índice en gancho de la mano izquierda los dedos de la derecha.

—«Laredo», de Santander, pareja del «Santoña»; patrón de pesca el señor Rogelio el Viejo. «Zadiaran» y «Badaya», Pasajes; patrón de pesca el Chato Remedios, que se emborrachaba mucho, que luego murió en el hundimiento del «Navarra»...

—Ya, ya — dijo Míster Ginebra, luego ordenó algo en inglés a Mulligan —, ya, ya — continuó diciendo —. Chato Remedios bebía, ¡uf!, bebía mucho.

Macario Martín se apresuró a beber su Ginger Ale. Afá y Sas habían logrado apartar a algunos tripulantes del «Uro». Artola y Ugalde estaban en segunda posición. Macario Martín picardeó con Míster Ginebra.

—Me dejará usted que le invite a lo que quiera tomar.

—No, yo invito; guarda tu libra, Muerto. Beberás mucho y te faltará dinero.

O'Halloran invitó de nuevo a todos. Macario Martín cuando apareció otra vez la cerveza ladró. O'Halloran se rió.

—Hazlo otra vez — dijo.

—Tengo que beber mucho para hacer bien el perro.

—Bebe.

—Si bebo muy de prisa, luego voy a tener sed y no voy a tener dinero.

O'Halloran pidió cerveza para Macario. Le colocaron un vaso junto al que tenía mediado. Macario bebió del recién puesto.

—Así infecto los dos, don José, si no estos me lo beben en cuanto me descuide.

Macario Martín miró triunfalmente a su amigo Afá y a los compañeros.

—Haz el perro — dijo O'Halloran.

Macario Martín abrió cancha, puso la mano izquierda en el culo, con la palma vuelta hacia arriba y la movió. Comenzó a ladrar lastimeramente.

—Estoy pidiendo perra — aclaró en una pausa.

Luego ladró suavemente y acabó sacando la lengua.

—Acabo de montar a la perra — dijo.

O'Halloran se reía a carcajadas. Palmoteó.

—Muy bien, muy bien. Podrías ganar mucho dinero en un circo.

Macario Martín quedó repentinamente triste.

—Sí, en un circo.

De la tristeza pasó a la seriedad.

—Ahora invito yo — dijo con rabia —. Viejo, ponnos a todos de beber.

Afá le clavó el codo en el costado. Macario Martín se volvió hacia su amigo.

—¿Tú no sabes hacer el perro o cualquier otro animal, José?

O'Halloran no entendía a Macario Martín. La mutación de humor le confundió. Preguntó ingenuamente a Sas:

—¿Está molesto el hombre?

—Es así, es muy raro.

Macario Martín recibió la vuelta de su libra y salió de la tienda de Mulligan. O'Halloran volvió a invitar.

—¿Dónde irá? — dijo Sas.

—A otra taberna — respondió Afá —. Se emborrachará como un demonio.

—O'Neill — dijo Míster Ginebra — tiene todavía abierto. Irá allí.

Sas se encogió de hombros y bebió de un trago su cerveza. Dijo:

—¿Invitas tú o invito yo, Afá?

—Invito yo — dijo, distraídamente, el contramaestre.

Don José O'Halloran, alias Míster Ginebra, bebió su última copa.

—No bebo más. Muchas gracias. Mañana — sonrió ampliamente — hay trabajo. Divertirse, muchachos.

O'Halloran salió de la taberna, repartiendo sonrisas. En la puerta se topó con Paulino Castro.

—¿A casa, don José? — preguntó Paulino Castro.

—A casa... Mucho beber, mucho sueño... A casa.

Se despidieron. Los patrones se sentaron en unas banquetas en un rincón, junto a unos sacos de pescado ahumado. Desde el mostrador Mulligan preguntó:

—¿Cerveza?

—Ginebra — respondió Paulino.

El contramaestre Afá, cuando Mulligan sirvió los vasos de ginebra, se los acercó a los patrones. Paulino Castro se sintió generoso.

—Toma algo a mi cuenta, Afá.

—Gracias, patrón, estoy bebiendo.

—¿Dónde habéis echado al Matao?

—Se fue solo... Estará en O'Neill.

—En el *Dancing* hay festejo.

—Ya, ya. No irá al *Dancing*. Se acabará de emborrachar en O'Neill.

Los patrones bebían con tranquilidad sus vasos de ginebra. Afá hablaba en voz baja con Artola y Ugalde.

Sas intervino:

—Dejadle que se emborrache.

—Armará un naufragio — dijo Sas —. Hay que ir a buscarle.

Afá pagó y salió de Mulligan seguido de Artola y Ugalde.

—¿Por dónde es eso? — preguntó Artola.

—Aquí al lado — contestó Afá —. Habrá cambiado por ginebra y tendrá la trompa encima.

Desaparecieron los tres por una callejuela estrecha. Al fondo de la calle brillaba el letrero del *Dancing*: una maleta de hierro y cristales, vertical al plano de la pared. *Dancing* en letras muy grandes por los dos lados, media docena de bombillas dentro de la maleta.

Los ladridos de Macario Martín llegaban a la calle. Tres marineros del «Uro» aplaudían a Macario haciendo el perro. Desde el mostrador contemplaban las payasadas del Matao los habituales de la tienda. Afá estaba receloso. Cuando Macario Martín repetía las bufonadas, no lo hacía alegremente, lo hacía casi odiándose. Habría bronca a última hora; de eso estaba seguro el contramaestre.

—Macario — dijo Afá —, vamos a bebernos unas cervezas.

Los ojos de Macario se fijaron en los de su amigo. Los ojos de Macario tenían una bruma de tormenta. Los ojos de Macario corrieron inquietos sobre los rostros serios de Artola y Ugalde.

—Ginebra.

—Bueno, ginebra.

Macario Martín ladró estirando el cuello y alzando la cabeza hacia el techo. Los marineros del «Uro» aplaudieron.

—¿Qué te parece cómo hago el perro cachondo, José?—dijo Macario.

El contramaestre no contestó. Le alargó el vaso a Macario. Éste lo bebió de un trago.

—¿Verdad, José, que soy una mierda de individuo?

José Afá miró a su amigo, por encima del bolsillo del vaso de cerveza que estaba bebiendo. Macario insistió:

—¿Verdad que soy una mierda de hombre?

El contramaestre depositó el vaso en el mostrador.

—Déjate de tonterías, Macario.

Se abrió la puerta de O'Neill, golpeó contra la pared, vibraron los cristales. Después se escuchó la voz de Sas. Joaquín Sas cantaba una canción gallega. Entró cantando. Macario ladró. Sas dejó de cantar y comenzó a barbarizar...

Simón Orozco estaba durmiendo cuando Paulino Castro regresó al cuarto de derrota. Paulino Castro se descalzó suavemente y se echó vestido en la litera. Se tapó con el cubridor y cerró los ojos. Giró a la derecha, luego volvió a su posición inicial de espaldas; giró a la izquierda, se sintió molesto. Abrió los ojos. Sacudió el cabezal otra vez de espaldas. Tenía ardor de estómago. Había bebido demasiada ginebra. Sentía calor, saltó de la cama y salió descalzo al puente. Cerró la puerta del cuarto de derrota y abrió los ventanillos de babor. La brisa del mar no refrescaba, era pegajosa y dulce, al respirarla por la boca dejaba en los labios una sensación de mantequilla azucarada.

En el muelle gritaban. Paulino Castro preguntó desde el bacalao qué pasaba. Nadie le respondió. Luego vio cómo Afá y Artola llevaban a Macario cogido por los brazos. Se acercaron al barco. Macario Martín barbarizaba. Paulino Castro preguntó a gritos:

—Afá, ¿qué ha ocurrido?

Los tres se pararon. Macario Martín levantó el rostro ensangrentado. En la oscuridad del muelle seguían gritando.

—Afá, ¿qué ha ocurrido? — repitió Paulino.

—Éstos — dijo Afá —, bronca.

Paulino Castro se pasó una mano por el estómago.

—Bajadlo a cubierta. Mañana se verá. ¿Quién es el otro?

—Sas, que se ha quedado con Ugalde. No ha pasado nada importante, patrón. Unos puñetazos. Nada importante.

Paulino Castro se sintió poseído de su autoridad.

—Bien, mañana se verá; bajadlos.

Ya no tenía nada que hacer en el bacalao. Quedarse sería contemporizar tarde o temprano; enterarse de los pequeños detalles por los que se había desatado la pelea sería disculpar a los contendientes. No podía perder autoridad. Abrió la puerta del puente y entró. Pasó al cuarto de derrota y se tumbó en su litera. El ardor de estómago continuaba. Permaneció pendiente del estómago durante unos minutos. Luego eructó. Se dio la vuelta y cerró los ojos, esperando el sueño.

Simón Orozco saltó de la litera al amanecer. Se vistió calmosamente, miró un momento a Paulino Castro, que continuaba durmiendo; se volvió sobre su litera y alisó la ropa; consultó el reloj y salió al puente.

Cuando Simón Orozco bajó a la rampa, ya estaban trabajando los engrasadores del «Uro» en la avería. En la rampa se encontró con O'Halloran.

—Tan pronto — dijo Simón Orozco.

—Había que ver la avería; podía necesitarse algo.

—Bien, don José.

Simón Orozco miró a los ojos de O'Halloran. Los ojos de O'Halloran eran ojos de sueño mal dormido, ojos irritados de mucho sueño y mucho alcohol.

—¿Se bebió anoche? — preguntó Orozco.

—Con los muchachos — respondió O'Halloran —. Algunos bebieron demasiado. Pregunte.

Simón Orozco hizo un movimiento de mandíbula al patrón de pesca del «Uro», que estaba junto a ellos.

—Nada, Sas y el Matao, que les sopló una surada y se arrearon...

Simón Orozco quedó un instante pensativo.

—¿Y esto qué tal?

—Para las diez, listos; si el eje no tiene avería.

—Bien.

Los engrasadores trabajaban con el agua por las rodillas. Uno levantó la cabeza.

—Patrón — alzó la voz —, patrón, la malleta se ha metido en el juego y hay que limpiarlo.

—Bueno.

—Tendremos que sacarlo desde dentro. Va a ser largo.

Simón Orozco seguía el trabajo de los engrasadores. Preguntó:

—¿No podéis probar antes de soltarlo?

—No, señor Simón, está muy metido.

El motorista del «Uro», subió por la rampa, resbalándose; cuando estuvo a la altura de Simón Orozco comenzó a darle explicaciones. Simón Orozco contradecía algunas de las afirmaciones del motorista. Al fin preguntó el tiempo:

—¿Hasta cuándo?

—Hasta el mediodía, por lo menos. Dos horas nos lleva el desmontarlo. Hay que limpiarlo y repasarlo. Después montarlo. Después probar. Todo esto siempre que no se haya roto algo importante.

Intervino O'Halloran. Sonrió.

—Tenemos tiempo de tomar muchas cosas, Orozco. Vengan para mi casa.

Orozco y el patrón de pesca del «Uro» caminaron por el muelle, acompañando a O'Halloran.

—Ya están avisados los armadores — dijo O'Halloran —. He telegrafiado a Cork. Desde allí lo darán por radio.

En las calles de Bantry había como una neblina, como un vaho gris, que se iba iluminando y desapareciendo en el creciente del día.

A media mañana Simón Orozco volvió al muelle. Le anunciaron que había que esperar la nueva bajada de la marea para montar el juego del eje. Cosa de poco tiempo y listos para partir. Simón Orozco se sentó en un noray y estuvo un rato pensando. Después se levantó y echó a andar.

El cementerio de Bantry era para Simón Orozco un muelle pesquero con gente conocida. El cementerio de Bantry tenía una tapia baja con una ringla de árboles grandes y copudos, sin pájaros. Por encima del cementerio de Bantry revoleaban las gaviotas. Simón Orozco no entró en el cementerio. Había ido paseando, solo, hasta él. Sabía dónde estaban, en grupo, los marineros conocidos: Zugasti y su tripulación; Arbaizar y sus hermanos; los gallegos del barco «Miño»... Media vida de navegar Gran Sol.

Había nombres no conocidos, de pescadores antiguos, de los primeros que navegaron en la carrera de los bancos de pesca. Simón Orozco miró por encima de la tapia hacia el rincón de Zugasti. Hasta el rincón de Zugasti llegaría el viento del sur y revolvería en la hierba, silbaría en la cruz. Zugasti y su tripulación hacían capa para siempre bajo la tierra de Bantry, a una braza de profundidad, con alto vuelo de gaviotas y árboles sin pájaros.

El cielo cubierto de nubes tenía borrones de azul. Por ellos descendía sobre la mar una luz ácida que alimonaba las aguas. En las rocas de la costa rompían las olas recortando en blanco los accidentes. La bahía de Bantry se abría hacia alta mar. Simón Orozco se sentó en un ribazo. La hierba estaba húmeda y la tierra no tenía olor o al menos él no lo advertía. Respiró hondo para oler la mar. La mar nunca olía lo mismo. Miró al cielo y volvió a respirar hondo. Olía agriamente. Picaba como carne pasada de bonito. Pensó que Zugasti y él, en el lejano Pasajes, cuando muchachos, antes de embarcar para siempre..., «cuando íbamos a ver la llegada de los boniteros, cuando tú dabas voces anunciando la entrada por la bocana de los barcos, cuando dabas sus nombres antes que nadie... Ahí viene bien cargado el «Zarauz», ahí entra la sardinera de Romualdo Araquistain, ahí está de vacío y con las varas rotas y la chimenea doblada el barco del señor Agustín...»

Simón Orozco se levantó, contó las cruces del rincón de Zugasti, contó más cruces a todo lo largo de la tapia. Gentes de la mar, gentes de todos los rincones, desde el Bidasoa al Miño, de frontera a frontera. Los ingleses de los bous tenían un rincón aparte, el club de los ingleses. Los franceses de los pitís eran pocos. Llevaban los muertos a su tierra o los tiraban a la mar envueltos en un trozo de vela amarilla o colorada, atados a un grampín. Las costas de Irlanda estaban lejos de la carrera de los pitís.

En la taberna de Mulligan había bebido Zugasti y Zugasti sabía las cuatro tabernas para pescadores de Bantry: Mulligan, O'Neill, el Escocés y el *Refreshment* de James, donde se entraba pocas veces, donde no se estaba a gusto. El pensamiento de

Simón Orozco gravitó sobre la noticia de la pelea de Macario Martín y Joaquín Sas. Recordaba haber peleado cuando navegaba en los barcos yanquis. Peleas feroces en los tinglados de los muelles, peleas en popa arbitradas por los contramaestres, hasta que uno caía rendido de golpes y de cansancio. Recordaba los duelos de los fogoneros en las carboneras vacías, con el polvillo ahogador en la garganta, el sudor, los salivazos a la cara, tanto para cegar al contrario como para poder respirar sin impedimento. Recordaba cómo se le escapaba de las manos el cuerpo sudado del contrario, cómo frotaba las manos contra el suelo o contra las paredes del pañol para secarlas. La bebida. Bebida antes de pelear, bebida tras pelear. Los puertos americanos, las llegadas a bordo, la dureza de los contramaestres: «El cubo grande de agua helada para la cabeza más dura y más trastornada». Los barcos yanquis...

«Macario Martín, viejo loco, esto se ha acabado, te dejo en el muelle en cuanto volvamos, Macario Martín, no hay quien te entienda. ¡Pelear con Sas, veinte años más joven que tú! Macario Martín, despídete de Gran Sol. Gran Sol se ha acabado para ti. Ya puedes ir buscándote un puesto en la bajura, ya puedes irte buscando un enchufe en los mercantes, de cocinero, de lo que te den. Y tú, Sas, también se acabó, búscate otra pareja, date por despedido, vete a la Comandancia o donde quieras, protesta y di lo que quieras, pero no vuelvas a hacer un viaje en el barco en que esté yo.»

«Zugasti, hay que ser duro con esta gente. El mar son las alubias de la familia. Antón, en la mar no se puede andar con blanduras. Antes un patrón te plantaba por una borrachera, antes era más dura la mar. Tú y yo sabemos algo de estas cosas.»

Simón Orozco entretuvo las manos sobre la pared del cementerio, se dio la vuelta y miró a la mar. «La mar no era más dura antes, la mar no variaba, tan dura antes como ahora. Tras la boca de la bahía estaban aguardando los malos tiempos. Viento del norte, viento del sur, ¡qué más daba! Todos los tiempos de la mar eran malos. Todos los días de la mar eran malos.»

Simón Orozco, con las manos en los bolsillos, principió a andar hacia el pueblo. Veía en el muelle, al otro lado de las casas, sus barcos. Veía hombres en el muelle. Sabía, aunque no los distinguía, quiénes eran. Están esperando a que yo llegue, pensó. Están esperando a que aclare lo de Macario y Sas. Sentía sed. Pasaría por O'Neill a beber una cerveza y preguntaría distraídamente por sus marineros. Luego a Mulligan. Daba por seguro que Macario no había estado en el *Dancing*. Joaquín Sas sí podía haber estado. Las mujeres de Bantry solían bailar con los marineros, aun las casadas, y los brutos de los marineros... Bueno, era natural, pero se equivocaban con las manos... Bueno, cada uno tenía sus gustos, además los jóvenes... Joaquín Sas decía que las mujeres de Bantry desde la línea de flotación iban acorazadas.

El cementerio quedaba ya a las espaldas de Simón Orozco. Volvió la cabeza. Le parecía un parque chiquito, algo como una plaza de pueblo vascongada, algo lleno de serenidad, donde se debía estar bien. El rincón de Zugasti, la línea de los franceses, el club de los ingleses, la gente de Bantry... «Agur, Zugasti, hasta la próxima vez. Todavía Antón, entraremos este año, antes de que acabe la campaña, entraremos alguna vez. Agur...» Simón Orozco miró su reloj. Eran las doce y cinco. Recapituló la exigencia que tenía con Macario Martín: a las doce en punto la comida. No estaba cumpliendo.

Antes de ir al barco, Simón Orozco entró en *O'Neill* y en *Mulligan*. En *O'Neill* bebió cerveza y no tuvo necesidad de preguntar porque O'Neill, nada más verle, intentó una explicación del suceso de la noche en un chapurreo de español. Mulligan no habló hasta que el patrón de pesca preguntó. Contestó con evasivas. Él quería estar a bien con todos y en su tienda nada había sucedido.

Cuando llegó al muelle se le acercó Paulino Castro.

—He hablado con Sas y con Macario.

—Bien.

—¿Qué hacemos?

—Ya se verá.

Simón Orozco saltó al «Aril» y subió al puente. Pocos minutos después llamaban en la puerta de estribor. Entró Macario Martín con la comida.

Macario Martín se sintió intimidado ante el patrón de pesca. Simón Orozco le preguntó:

—¿Gastaste tu libra, Macario?

—Sí, patrón.

—¿Y esta tarde?

Macario Martín se encogió de hombros.

—¿Sas gastó su libra? — preguntó Orozco.

—Creo que sí, patrón.

Simón Orozco metió la cuchara en la cazuela.

Macario Martín salió al bacalao del puente y respiró hondo. Después bajó a su rancho.

Al atardecer, los barcos de Simón Orozco eran dos manchas negras en la boca de la bahía de Bantry. Don José O'Halloran, antes de volver a su casa, recaló en *Mulligan* y en *O'Neill*.

El «Uro» y el «Aril» hacían rumbo al norte, no había viento y el cielo estaba cubierto. Los perfiles de la costa irlandesa destacaban rotundos, negros y poderosos. El «Uro» y el «Aril» hacían rumbo al norte.

SEGUNDA PARTE

VIII

Paralelo 53, Longitud oeste: Día y noche. La mar serena; la mar de lo gris a lo negro, del este al oeste. Meridiano 12, latitud norte: Amanecer. La mar serena; la mar de la vigilia al sueño, de las estrellas, del sur a las nieblas del norte. La masa de niebla reposa azulenca sobre la mar, crece lívida, cierra el cielo ya blanca. Las vanguardias del banco de niebla se deslizan, ruedan, se deshacen, flotan, se ayuntan, muran. Los barcos de Simón Orozco penetran en la niebla. Suenan intermitentemente sus sirenas, casi tactos en la ceguera. La niebla mata los resplandores de los focos, que lucen mortecinos, cercanos y lejanos, fijos y errantes. El palo de proa del «Aril» es una línea borrosa desde el puente. La proa del «Aril» está al otro lado del horizonte, abriendo aguas que no se ven, cuyo rumor se escucha, cuya fuerza se siente en el hierro trémulo. El olor y el sabor de la mar se han extinguido en la niebla, que tiene olor y sabor propios; olor ácido y sabor dulce.

Suenan las sirenas intermitentemente. En los intervalos el ruido de las aguas abiertas a proa, el murmullo de las aguas que pasan por la obra muerta, el debatirse a popa de las aguas trenzadas por la hélice, el son del motor, crean una calma amiga que destruye los ululatos de las sirenas.

Se ha doblado la guardia al timón. Los hombres de la guardia — Joaquín Sas y Venancio Artola — se turnan en la rueda, se turnan en los bacalaos con el patrón Paulino Castro. Niebla a babor, niebla a estribor. Se distingue débilmente la sirena del «Uro» con la sordina de la niebla. Los ruidos lejanos la niebla los apaga, los cercanos — golpes en las amuras, roces en el guardacalor, trabajo en los motores — los acrecienta y precisa. Castro, Sas y Artola observan la masa blanca de la que en cualquier momento puede surgir la sombra del barco que ocasione el naufragio.

Simón Orozco, sentado en el banquillo del puente fuma y atiende a la radio. El patrón de pesca tiene el rostro sereno, Simón Orozco sabe cómo tiene el rostro, lo sabe como si tuviera un espejo delante. Lo siente en todo su cuerpo, cuando mueve la mano para llevarse el cigarrillo a los labios, cuando estira la pierna cansada de la flexión a la que le obliga el asiento bajo, cuando yergue la cabeza para mirar a Paulino Castro que ha entrado del bacalao de estribor y, antes de coger la rueda, se asoma un instante a babor y pregunta cualquier cosa sin importancia a Sas o a Artola.

Gato Rojo duerme con el instinto del peligro, como en los días de capa: recogido sobre el vientre, en una postura fetal. Macario Martín, sentado en la litera, habla.

—Un hombre al agua sería imposible que se salvase.

—Se han recogido en peores condiciones — afirma el contramaestre Afá.

—Hoy sería imposible, ni se le vería, ni se le oiría. Además, aunque el barco volviese por su rumbo siempre se desviaría algo, lo bastante para que...

—Se han recogido hombres con malos tiempos de invierno, con malos tiempos de irse los barcos a pique como si fueran de cartón.

—La niebla es otra cosa.

—Es cuestión de que el tipo que se cayera no perdiera la serenidad; acabarían recogiéndolo.

—Con una niebla como esta, ni hablar. Asómate y verás.

Se incorporaron los dos. Macario Martín miró por el ojo de buey de los pies de su cama. El contramaestre le advirtió:

—Quita la cabeza, Macario — hizo una pausa y corroboró—. Sí; hay mucha niebla — se volvió a tumbar —. Así y todo se le podría recoger.

—Cadáver — dijo Macario Martín.

Juan Arenas saltó de la litera y se quitó la camiseta. Luego removió en su saco.

—¿Qué te pasa a ti? — preguntó Macario.

—La humedad. Me pongo ropa de invierno, la humedad se mete en los huesos y los va pudriendo. La niebla te roe los huesos.

Macario Martín se rió a carcajadas.

—La sífilis — dijo —, pero tú, de caprichos, nada. Tú la mujer y basta.

Arenas se estaba vistiendo la camiseta de felpa, mirando a la pared. Se dio la vuelta. Tenía las manos metidas en las mangas, el pecho desnudo y lampiño, blanco por el plexo solar. Una blancura triste y repugnante hasta la cintura del pantalón, donde le comenzaba un vello suave de color castaño.

—En media docena de mareas, el octavo — dijo Arenas.

—Tú no tienes medida — habló Afá —; un pobre no puede tener muchos hijos, a no ser que los quiera alimentar con cabezas de pescado.

—Con raba como a las sardinas — dijo Macario.

Arenas terminó de ponerse la camiseta y, ayudándose con la palma de la mano, la fue metiendo por el pantalón. Se hurgó cumplidamente en el sexo.

—Déjalo quieto — dijo Macario, riéndose —, o vas a tener hijos hasta con nosotros.

Sonrió Juan Arenas. Afá entornó los párpados.

—Ahora es cuando da el sincio de las mujeres, Macario — afirmó Juan Arenas —. Lo peor es, antes de volver a casa, entrar en puerto. O entrar en puerto a media marea.

—Es como salir de nuevo de casa — intervino Afá —. Peor que salir de nuevo de casa.

Macario Martín bebió de la botella que tenía colgada de la barra de la litera.

—Es muchísimo peor. Y eso que en Bantry algunos se habrán puesto...

—Las mujeres de Bantry como si no existiesen — dijo Afá —. Y para ti, Macario, como si fuesen de otro mundo porque la borrachera que te agarraste fue mayúscula. De dejarte en el dique para toda la vida. Menos mal que el patrón... Bueno, el patrón porque te distingue. Si hubiera sido otro, lo apea.

Macario Martín movió la mano derecha hacia la botella, pero no llegó a alcanzarla.

—No me hables de eso, José — pidió con amargura —. A veces me vuelvo imbécil y no sé llevar una broma. A veces se me suelta algo aquí dentro — dijo, golpeándose la frente con la palma de la mano derecha — y no sé lo que hago.

Juan Arenas se había tumbado en la litera; tenía los ojos cerrados. Con la imaginación recreaba la figura de su mujer Lucía Pedrosa. Lucía Pedrosa, la Gallega, en el recuerdo, hacía trece años. Borracheras y enfados. Él, bien borracho con los amigos del muelle o del barco, ella en las furias de la postergación, porque una mujer no quiere comprender que un hombre tenga sus camaradas. Hacía trece años que fueron novios y paseaban hasta el Cabo Chico los días buenos de franquía. Volvían al atardecer o de noche. Lucía Pedrosa se escapaba antes de llegar a su casa. Había que casarse. Los hijos. Ella ya no se preocupaba demasiado por las borracheras. El hombre podía tener sus camaradas, pero el dinero de la casa había que entregarlo puntualmente. Desde hacía trece años todo había crecido para él. Las preocupaciones, los raquerillos que llevaban su apellido, los pechos de Lucía, las nalgas de Lucía, la voz de Lucía, que era cada día más firme. Sentía una transformación del deseo en su cuerpo, casi como una hermandad con el cuerpo ausente de Lucía. Bien la había hartado: hijos, borracheras, poco dinero... Las mujeres de los pescadores estaban condenadas. Los hijos eran un fracaso. Soñar con que los hijos dejaran la mar era cerrar los cauces de la vida normal. Las hijas trabajarían en talleres de modistas, en peluquerías, donde fuera, pero volverían al andén del muelle a encontrar hombre, y volverían, y volverían ya casadas, y volverían, con los hijos, a esperar al hombre de Gran Sol, de Terranova, de los barcos de la bajura. Los hijos serían los hombres de Gran Sol, de Terranova, de los barcos de la bajura para otras mujeres. La mar para todos. No quedaba más que la mar para todos. Lucía ya no era un recuerdo, sino un deseo, tacto, voz, respiración...

—...porque cuando uno se casa, Macario, hay que amarrar chicotes — terminó Afá.

—Depende. No se va a estar uno toda la vida echando herrumbre, hay que navegar. Navegar todas las que se pueda, matarlas todas. Ya llegará el momento de amarrar chicotes, de agarrarse al puerto y esperar el desguace. Estaríamos buenos si no.

—Cada uno cuenta su marea y a su modo. Yo pienso como te digo.

—Eso no es pensar, José. Yo te podría contar a ti cosas...

—Tus cosas sólo sirven para ti.

Macario Martín se incorporó en su catre. Dirigió el índice de la mano izquierda hacia Afá.

—Conforme. Pero yo te puedo contar a ti cosas...

—Mira, Macario, tú tienes la izquierda a barlovento y la derecha a sotavento. Yo al revés.

—¿Y qué?

—¿Como que y qué? Que tú estás al revés que los demás, lo tienes que reconocer, por eso lo que digas no sirve más que para ti. Tú dices, me he casado tres veces y sé más de las mujeres que tú. Tonterías. Tú sabes lo que tienes que saber de las mujeres con las que te has casado. Lo demás, inventos. Sabes eso como yo sé lo mío. De las otras no sabemos nada.

Macario Martín se estiró en la litera y silbó de burlas. Dijo después:

—¡Que te crees tú eso!

Juan Arenas había abierto los ojos y escuchaba. De pronto afirmó:

—Tú siempre quieres tener razón, Macario. Afá está en lo cierto.

La risa de Macario Martín sonaba como el tableteo de una carraca.

—Como tú quieras, almirante. Yo no sé nada — volvió a reírse —. Yo nunca tengo razón — repitió la risa —, vosotros los que estáis en lo cierto — hizo muecas —. Como queráis, no sé para qué discuto, no sé para qué pierdo el tiempo.

Macario Martín se dio la vuelta en la litera, cara a la estampa del guardacalor.

—De todo quieres saber más que nadie — estaba diciendo Afá —; si no se te da la razón...

Macario Martín barajaba en el recuerdo los nombres de las mujeres anteriores a Segunda Esteban. Regresaba de servir en la armada, base Cartagena, año 1925. Treinta y un años menos. La rosa de los rumbos tenía un fuerte color azul. La mano izquierda estaba oficialmente a barlovento, sólo en la clandestinidad de los ranchos, en las tabernas, en los lupanares sotaven-

teaba. La instrucción necesitaba de la mano derecha. La mano
izquierda estaba al vino, a las mujeres, a las peleas. Regresaba
de servir en la armada y tenía un puesto en la motora «Libertad». Edurne Yranzo, de Vizcaya, nunca pudo decir que no.
Estaba en un rincón de la memoria, callada, difusa, con los hijos Macario, Edurne y Agustín. No acertaba con su figura. Recordaba sus manos; que era rubia, no sabía el tono de su pelo,
sólo rubia; con unos ojos mansos y apagados, dormidos en la
contemplación de algo que nunca supo; que le llegaba por la
nariz. ¿Y qué? No acertaba a reconstruir su imagen con unos
datos tan imprecisos; tan imprecisos como los de una ficha.
Edurne murió a los cinco años de matrimonio, poco después de
la proclamación de la República. Luego mar, mucha mar. Pescador en Gran Sol, pescador en la bajura, por tiempo, pescador
en el Trópico de Cáncer en las embarcaciones de Cádiz y en las
de Canarias; vuelta a Gran Sol. Los rumbos cruzados iban
desfigurando a Edurne hasta que sólo fue quedando de ella el
nombre, las manos, el color rubio del pelo — ¿qué tono de rubio? —, los ojos mansos, su altura, exactamente hasta la nariz...
Y en 1936 no quedaba ya nada. Otra vez la mar con los barcos
neutrales, con los barcos enemigos, los cañones, los torpedos,
los aviones, los mercantes armados. La retirada del ejército.
El embarque en Bilbao de gentes que escapaban, el embarque
en Santander con repetición de escenas, el embarque en Gijón,
con los mismos cansancios, temores y rostros. Antes ya se había
casado. Se había casado por miedo a la soledad, porque hay
que tener un cabo en tierra para tirar de él cuando se está
muy solo, para amarrar la chalupa un día. Carmen Bombín,
mujer de quince días hasta el embarque de Santander. Mala
suerte. Fue de noche; se pudo ahogar o pudo embarcar. No la
había vuelto a ver. Había sido la noche peor de su vida. Entre
los rostros, los cansancios, los temores, había un rostro, un
cansancio, un temor, que le pertenecían por entero. No la había
vuelto a ver en su vida. No era demasiado joven, ni demasiado
guapa. La recordaba perfectamente. Habló siete días antes de
casarse con ella. Se casó, salió a la mar. Volvió. Quince días.
En total quince días y allí estaba clara en su memoria. Allí
estaba, eso era todo. Guerra. Campos de concentración, trabajo
en un arsenal. Marcha al frente y al regreso la antigua motora

«Libertad», ya «Virgen del Puerto», esperándole hasta que encontrase puesto en las tripulaciones de altura. Cansancio de la bajura. Pesca de bahía, otra vez Gran Sol y otra guerra que no le importaba demasiado. Una guerra que era para él puro comercio con entradas en los puertos ingleses: Swansea, Cardiff... Botas de aguas por merluzas y por bacalaos, coñac malo a libra la botella, medias, botellas de vino aguado, botellas hasta con sangre de bonito, por medias, por cosas de mujeres. A Segunda Esteban la conoció en la taberna Casablanca. No podía decir más. Se casó por el amarre. Se notaba viejo. Segunda Esteban no importaba demasiado.

—...cuando se necesita viento no hay viento. Se llevaba la niebla para costa...

Gato Rojo se despertó con la hora de su guardia. Rugió en el desperezo. Saltó de la litera y se puso los pantalones. Medio dormido preguntó:

—Macario, ¿vas a dar malta esta mañana?

—En la cocina la tienes hace un par de horas.

Gato Rojo se fue arrastrando los pies por las pasaderas. Domingo Ventura pasó delante del quicio de la puerta del rancho camino del beque. Afá le llamó.

—¿Sigues con tus rehileras?

Domingo Ventura barbarizó y entró en el beque. Macario Martín, Afá y Arenas lo celebraron con carcajadas.

—Cuando salga me lo dejas a mí — pidió Macario —. A este fato me lo manejo muy bien.

—Ándate con ojo — avisó Afá —, tiene la intención de un marrajo. Que te diga Arenas de lo que se ha enterado.

Juan Arenas protestó:

—No se lo voy a ir diciendo a todo el barco. ¡Cómo eres, José! Te digo que no lo cuentes y lo dices en cuanto tienes ocasión. No me vayáis a fastidiar a mí por la coña de contarlo.

Macario Martín se había interesado demasiado en el asunto para que desaprovechase la debilidad de Afá.

—¿Qué le ha pasado a ése con Domingo?

—Que te lo cuente él.

Macario Martín se revolvió con las manos en la pelambre.

—Chivatazo de algo — dijo tanteando —, porque Domingo se chiva hasta de su padre con tal de apuntarse algún mérito.

—Peor — respondió Afá —. Mucho peor. Que te lo cuente Arenas que es el interesado.

Urgió Macario Martín.

—Cuéntamelo, Arenas.

Juan Arenas movió la cabeza a un lado y a otro, negándose. Macario insistió. Juan Arenas saltó de la litera y cerró la puerta del rancho. Dijo en voz baja:

—Ése — señaló con el pulgar derecho a sus espaldas, hacia la puerta —, ese hijo de su madre le ha ido con cuentos al armador y al patrón de costa diciéndole que si yo bebía mucho en las guardias, que si estaba la mayoría de la marea borracho...

Sonrió Macario Martín.

—¿Y no es verdad, Juan?

Arenas alzó los brazos sobre su cabeza y empezó un balbuceo de palabras, entrecortado de barbaridades. La sonrisa de Macario Martín seguía fija en sus labios.

—El que sea verdad no quita para que Domingo opere como un...

El contramaestre intervino:

—No es para tomarlo a broma, Macario. Juan ha estado en un tris de que no lo dejasen en el muelle. Eso que ha hecho Ventura no es más que una canallada. A un hombre, con siete hijos, no se le puede hacer una cosa así.

—Desde luego — dijo Macario —, es una canallada de esa mierda de tío. En cuanto desembarquemos ya hablaré yo con el patrón de pesca a ver lo que se puede hacer.

—Ya está resuelto — afirmó Arenas —. Tuve que hacerle hablar a un pariente mío que conoce a los armadores. Le dijeron que no me preocupase. Me dio mala espina.

—¿Por qué?

—Porque no se quejaron ni dijeron nada.

Macario Martín largó su mano izquierda hacia la botella de vino. Bebió y pasó la botella a sus compañeros, en pago de la confidencia.

—A un hombre con siete hijos — dijo, ensimismado, Afá — no se le puede hacer eso. Somos una gentuza.

Macario Martín, sonriente, estaba pronto al chiste.

—¿Hablas por ti?

El contramaestre dio un golpe en el aire con la palma de la mano hacia delante e hizo ruido con la boca. Reclinó la cabeza en el saco de la ropa y fijó la mirada en el ojo de buey. Tras del ojo de buey la niebla hacía resaltar en el cristal los reguerillos de la condensación del vapor de la cámara. El contramaestre Afá pensaba en los hijos de Arenas. Luego pensó en los suyos. Tres chicos. Habían sido cuatro, pero uno murió ahogado en el malecón delante de los ojos de sus hermanos. Él estaba entonces de viaje. Cuando su mujer, Petra Ortiz, se le acercó en el muelle para abrazarle al regreso, se había dado cuenta. No era el abrazo de otras veces, el abrazo que él esperaba y con el que había estado soñando los dos días del viaje de vuelta, el abrazo que hacía decir a Macario: «Bien lo vais a pasar». Desde aquel abrazo Petra estaba distante, la sentía distante, como algo que existía, pero cuya posesión había perdido. Con la distancia se había roto el hilo que los enlazaba en el amor, en la vida, en el recuerdo. Ni en el amor, ni en la vida, ni en el recuerdo iban acompasadamente. Petra Ortiz era forastera en su recuerdo. Años de hambre en la bajura, años de la guerra, de la persecución y el descalabro. Solamente a veces brotaba no se sabía cómo ni por qué la palabra del cauce común. Ocurría muy de tarde en tarde y en seguida se perdía en lo cotidiano. Petra Ortiz era irrecuperable. O, ¿quién sabía si con los años...? José Afá no entendía el distanciamiento, no podía achacarlo a la muerte del hijo, no lograba explicarse la mutación de su mujer. Ya se había resignado. Sabía que su mujer decía que la cogería con más ganas cuando él regresase, pero cuando regresaba los dos se cogían sin ganas, casi cumpliendo un rito de saludo obligado. José Afá pensaba en sus hijos, en sus tres hijos, que él no quería que fueran a la mar, pero que tenían el futuro en la mar.

De las máquinas llegó la voz de Gato Rojo, por encima de los ruidos del motor, flotando sobre la monotonía. Afá dejó de mirar el ojo de buey y saltó de la litera. Salió a las pasaderas y se asomó a las máquinas.

—¿Qué pasa, Carmelo?

—El patrón que subáis.

—¿Qué subamos, quiénes?

—Los dos, Macario y tú.

Afá volvió al rancho y se calzó las botas de aguas.

—Anda, Macario, vamos para arriba.

—Ya estás eligiendo mal.

—No elijo, te eligen. Es el patrón...

Macario Martín tomó la orden con calma. Bebió de su botella y se la pasó a su amigo Afá.

—Luego la llenas de tu garrafa.

—Vaya...

—A ti te sobra vino.

—Bueno, hombre, bueno.

Manuel Espina protestó cuando Macario apoyó los pies en la barra de su litera.

—Salta directo al suelo. No me pases tus asquerosos pinreles por las narices.

Macario Martín mostraba amabilidad y confianza. Se sentó en la litera golpeando con el puño en el cuello de Espina.

—Deja sitio, pejín, deja que me siente. Vete más allá. Anda, hombre, anda.

Manuel Espina y Juan Arenas, cuando Afá y Macario dejaron el rancho, entretuvieron la parla en el comentario del tiempo. Después callaron. Juan Arenas prosiguió la lectura abandonada de una novela del Oeste. Manuel Espina cruzó las manos bajo la cabeza, se acomodó en la litera y silbó tenuemente una melodía popular. Arenas cerró el libro, colocando el dedo índice entre las páginas de la lectura interrumpida, sujetándolo con el pulgar en la cubierta y los tres dedos restantes en la sobrecubierta.

Adoptó una actitud expectante. Sonrió. Luego dijo:

—¿A que sé en qué estás pensando?

—¿En qué? — dijo, distraídamente, Espina.

—En mujeres. ¿A que sí? — su voz tenía un escalofrío erótico.

—No.

—No lo niegues.

—No, ¿por qué tenía que negarlo?

Juan Arenas se apoyó en el codo del brazo izquierdo y se incorporó a medias. Frunció el entrecejo.

—¡Qué sé yo!

—Pues no pensaba en nada. Estaba descansando.

—Creí... Ocurre siempre que se deja un puerto.

—Ya

—¿A ti no te ocurre?

—Sí... claro, como a los demás.

Juan Arenas se frotó el pecho con las palmas de las manos, estiró los músculos, tensó el cuello y forzó a un alargamiento de máscara las comisuras de los labios. Después se relajó y dijo:

—Quisiera estar con mi mujer.

—Como no venga nadando...

Juan Arenas no había oído, en su ensoñación, más que el rumor de las palabras.

—Me gustaría que mi mujer estuviese aquí — dijo.

—Pues a mí no me gustaría que estuviese la mía. A mí me gustaría estar donde está ella.

Juan Arenas fijó la mirada en el techo del guardacalor, bajó la mirada hasta la puerta, vio pasar a Domingo Ventura, oyó su voz indicando algo a Gato Rojo. Juan Arenas sonrió tristemente.

—¡Qué cosas se le pasan a uno por la cabeza!... — Manuel Espina callaba —. Pero sí que me gustaría que estuviese aquí — guardó silencio; continuó —: Sí que me gustaría.

Manuel Espina se sentó en la litera, saltó al suelo.

—A mí también me gustaría que estuviese aquí... para un rato.

En las cajas de debajo de las literas, Manuel Espina buscó un trozo de pan. Mordisqueó la corteza. Se tumbó en el catre. Jugueteó con los pies descalzos en la rejilla de la barra de la litera.

—Este pan — dijo — es casi como el del Seminario.

—¿No comíais bien?

—¡Bah!... Pasable.

—¿Estuviste mucho tiempo?

—Cinco años. Los de mi tiempo son curas hace... — calculó —, hará casi cuatro años.

—¿Por qué te saliste?

—No me gustaba.

—¿Mujeres?

—No, no pensaba en las mujeres. Era un chiquillo. No pensaba más que en comer y en jugar. No quería estudiar. Nunca he servido para estudiar.

Juan Arenas insistió:

—¿No pensabas en mujeres? Yo, desde chico, cuando íbamos al dique a bañarnos...

—Hasta que fui al servicio no estuve con una mujer.

La risa de Juan Arenas era compasiva y acaso un punto menospreciativa.

—Yo, a los dieciocho años — dijo Arenas y apiñó los dedos de la mano derecha —, así. En los bailes, en la playa, donde fuera, siempre sacaba un plan. Hasta con veraneantas que parecía que vivían a cien millas de uno. Las llevaba al contramuelle. Bueno, qué quieres que te diga.

Le entró un murriazo de recuerdos.

—Había una que venía todos los años con su familia, que luego se casó, según me enteré...

Manuel Espina no escuchaba a su compañero. Pensaba en su mujer, Luisa Santonja. Desde que se había casado con ella tenía bastante. Cuando volviera a casa se bañaría en la cocina, se vestiría el traje nuevo, llevarían al chiquillo donde los abuelos y entrarían en la ciudad. «¿Dónde vamos?» «Vamos al cine.» «En el Victoria dan una de las que te gustan.» Iría al cine con su mujer. Si había suerte y en el Victora daban una película policíaca le gustaría que a la salida lloviese un poco, que el viento del norte moviese las ramas de los árboles, que el bar donde entraran a tomarse un café estuviese casi vacío. Le gustaba volver a casa con su mujer cogida del brazo por las calles solitarias hasta el barrio de pescadores. Esa noche dormiría el hijo en casa de los abuelos y ellos...

Los mejores sueños los rompía el primer motorista con su orden de trabajo. Domingo Ventura entró en el rancho y advirtió:

—La maquinilla de los carretes dice Gato Rojo que tiene algo en el eje. Bajad a ayudarle. Yo voy en seguida. Desmontáis el cubridor del eje y me avisáis; no toquéis nada hasta que yo lo vea.

Juan Arenas dejó la novela abierta encima de la litera.

—Vamos, Manolo.

Se oía una poderosa sirena a babor. Simón Orozco salió al espardel. Escrutó en la densidad de la niebla. Paulino Castro llegó silenciosamente hasta él.

—Barco grande — dijo —, de la línea de América.

—Está muy cerca — respondió Simón Orozco.

Roncaba la sirena del barco grande, ululaba la del «Aril». Los dos patronos estaban silenciosos. Simón Orozco deshizo el silencio:

—Tira un poco a estribor.

Paulino Castro avanzó unos pasos hacia el bacalao del puente.

—Tira a estribor, Afá.

Simón Orozco tenía fija la mirada en la niebla.

—Está pasando. No se le va a ver, pero sentiremos el surco.

Paulino Castro creyó ver la sombra del barco grande en la niebla.

—Está ahí.

—No.

La sirena del barco grande sonaba a popa.

—Ya ha pasado — dijo Orozco —. Ahora llegará la marejadilla.

El «Aril» se balanceó en las olas de la estela del barco grande.

—Muchas toneladas — afirmó Paulino Castro.

—Sí, unos cuantos miles de toneladas.

Dejó el espardel Paulino Castro y volvió al puente. La humedad de la niebla había hecho resbaladiza la cubierta del espardel. Simón Orozco se asió a la baranda y miró hacia el cielo. La niebla tenía un suave tono limón. Frotándose las manos entró Simón Orozco en el cuarto de derrota, salió haciendo un cigarrillo y se sentó en el banco junto a la radio.

—¿Hasta cuándo durará esto? — preguntó el contramaestre, que estaba al timón.

—A las doce lo sabremos, nos lo dirá la radio. Creo que van a cambiar los tiempos — contestó el patrón de pesca.

—Mañana, si hay suerte, se podrá echar el arte.

La niebla hacía íntimo y deseable el interior del puente. Paulino Castro conversaba con Simón Orozco. Macario en el bacalao de estribor protestó:

—José, sal' ya, que me estoy calando hasta el alma.

—Acabo de coger la rueda.

Se oyó refunfuñar a Macario. Paulino Castro dijo a Simón Orozco:

—¿Tú vas a Pasajes o a Elanchove?

—A Pasajes.

—Haremos el viaje juntos.

Afá preguntó confianzudamente, sin volver la cabeza, mirando hacia la proa invisible:

—Señor Simón, ¿no tenía usted la mujer en Elanchove?

—Ya se habrá vuelto a casa. El chico tiene que trabajar, la chica tiene que ir a la escuela.

Simón Orozco se levantó del banquillo y entró en el cuarto de derrota. En la cabecera del catre tenía clavada con chinchetas una fotografía de su mujer y sus hijos. Era una fotografía de fotógrafo de verano. De fotógrafo a salto de feria, a cacha partida de trotar calles; de hombre que cumple más con la sonrisa que con la mercancía; de caballero amigote de limpiabotas, de floristas con celestineo al dorso, de piropín a putillas haciendo el estiaje. Una fotografía de sorpresa en las barandas de La Concha, un domingo por la tarde. A Simón Orozco le gustaba la fotografía porque su mujer tenía una cara extraña que le hacía sonreír tiernamente.

Simón Orozco había colocado aquella pequeña fotografía en lugar de otra en la que su mujer estaba con delantal, el hijo con mono de trabajo y la hija con las carpetas de la escuela bajo el brazo. Era una fotografía más grande, del fotógrafo de Herrera, que llevaba la máquina montada en un trípode, que exponía sus obras de arte a los lados del cajón mágico, que era conocido de toda la vida. Una fotografía en Pasajes, en el atardecer de cualquier día de sol, ya llegadas las sardineras: colgadas de las perchas las redes, formando un oscuro oleaje; tendidas cubriendo los norays, las redes como una enorme cuera de animal de imaginación; amontonadas, con las ristras de bolas de flote, como ojos, las redes, hitos cefalópodos haciendo calle al andén del muelle. Y allí su mujer y sus hijos. Tras su mujer y sus hijos sonreía un pescador, sentado en el suelo, inclinado en la faena de mallar. ¿Sonreía o no sonreía?

Simón Orozco se acercó al catre y el humo del cigarrillo llegó

hasta la fotografía, la veló al instante, se dispersó. Paulino
Castro avisó:

—Llaman del «Uro».

En el rancho de proa de los dos Quiroga — el de la hembra
que salió un zorrón, el que la zorreó de cuñado — envidaban a
las mujeres, chica el habla, largo el gesto, pronto el farol.
Era como un mus de aburrimiento, mano a mano, pasando las
cuarenta cartas. Mucho descarte, mucha escama, todo sabido.
Sabida la fanfarria, sabida la verdad.

—Sí que estamos haciendo marea — dijo Sas.

Juan Ugalde cosía un roto de su camisa; se pinchó con la
aguja.

— Casuén...

Sas seguía con sus quejas.

—...vamos a echar buen pelo. Ganábamos más a los panchos
del muelle...

Venancio Artola encorchaba un cordel nuevo. Apretaba con
los dedos pulgar e índice los rizos que se formaban. Proseguía
parsimoniosa y diestramente.

—Hay mareas para reventar — dijo Sas.

Venancio Artola levantó la cabeza.

—No hay que apurarse, Joaquín, ya tendremos trabajo hasta
cansarnos, ya lo verás.

—Sí... — movió Sas la cabeza dubitativamente; cambió el
tema —. ¿Qué te costó? — señaló con la mano la bola del cordel —. ¿Dónde lo compraste? ¿Es bueno?

Venancio Artola montó el labio inferior sobre el superior, se
le aniñó la cara.

—Ya se verá... Cuarenta duros... No los he pagado todavía,
cuando cobre...

Las manos de Artola apretaron fuertemente la bola de cordel.
Joaquín Sas contempló las manos de Artola. Juan Ugalde dejó
la aguja atravesada. Los hermanos Quiroga hicieron casi un
bisbiseo su conversación.

La esperanza de la paga abría los espacios de la ensoñación. Joaquín Sas pareció llegar de una lejanía y sus palabras
empezaron a formar volúmenes reales, creaciones de deseos,
marineras descargas del aburrimiento del rancho.

—Cuando yo cobre — dijo Sas —, me vuelo del muelle dos días. Les voy a meter un buen mordisco a las perras...

A rachas, sin contar con los que esperan de la paga, el marinero gasta su dinero en puerto. Es la descarga. En los primeros días de la marea siguiente, en las cotidianas soledades en compañía, nace el arrepentimiento. En otra marea vuelve la racha.

—...solo, no quiero a nadie. Me largo a darle aire a los cuartos... Por la calle de Cajal sabe el contramaestre un sitio...

Ni Juan Ugalde cosía, ni Venancio Artola devanaba; esperaban. Joaquín Sas principió una prolija enumeración de lo que iba a hacer. Los hermanos Quiroga habían dejado de conversar. Joaquín Sas cargaba las palabras de un frenesí que las arrebataba hacia la acción que describía.

—...hasta que los bolsillos me queden bien arranchados...

La desaparición de la paga en la orgía imaginativa acabó con la expectación de Venancio Artola. Juan Ugalde volvió a coser. Parsimoniosamente devanaba Artola y hablaba con una suavidad temerosa, puritana, correctiva.

—¿Y la mujer, Joaquín? No debes gastar lo que no puedes. Aguántate, como los demás. A la familia, el que tiene familia, lo tiene que dar todo...

Recuperaba Sas su gallardía cínica, tras la inmersión en los deseos. Volvía al juego de los ocios del rancho, habilitando abismos de perversión para la ingenuidad de los oyentes, pero perdidos los elementales impulsos que le habían hecho relatar la quema de la paga en una habitación — cuarenta y ocho horas sin salir de la habitación — de la calle de Cajal.

—¡Que mi mujer se arregle como pueda! ¿Acaso sé yo lo que hace cuando estoy en la mar? Si ella se divierte yo tengo derecho a divertirme. Si ella no cuenta conmigo yo no cuento con ella. Estaría gordo que todavía me dejase fregotear los cuernos.

Venancio Artola entraba en los juegos de Joaquín Sas por indignación formularia.

—Yo conocí a uno que decía lo mismo que tú y no era verdad que su mujer le engañara. Cuando se enteró su mujer, le engañó, porque dijo que daba lo mismo si el marido lo decía...

La risa de Joaquín Sas era desbaratada en su sarcasmo.

—Una parábola, ¿eh? Tienes que aprender mucho, Artola; tienes que echar un buen mechón de canas y vivir un poco más.

Venancio Artola se encogió de hombros.

—Yo pienso así, como te he dicho— dijo.

Fingió terror Joaquín Sas. Abalanzó las manos.

—No comiences, por favor. Lo que tú pienses me importa un pijo.

Venancio Artola devanó rápidamente. Juan Ugalde terminó de coser, miró a Sas, habló:

—Él piensa así. Él se va a casar.

Sas abrió los brazos.

—Eso lo sabemos todos— llamó a los Quiroga —. ¿Sabéis que Artola se va a casar?— Los Quiroga nada dijeron, nada hicieron; Sas gesticuló —: Pues ya sabéis que Artola se va a casar. — Miró a Ugalde con calma —. ¿Y qué, me lo quieres decir?

Ugalde movió la boca, arrugó los labios.

—¡Ah!, tiene mucho que aprender— dijo Sas —. Ya irá aprendiendo.

A mediodía Macario Martín golpeó con un cucharón en la sartén grande. Llamó a comer. Apareció en la cocina el contramaestre; Macario seguía golpeando la sartén con un regocijo infantil.

—¿Quieres dejar de hacer ruido?— dijo Afá.

—No.

Afá pasó por el portillo de la cocina a cubierta, fue hacia popa y se sentó en el cubo metálico del pañol. El pantalón de aguas le preservaba de la humedad. Golpeó monótonamente con los talones en la caja del cubo. Estaba a gusto. Era como estar en el muelle, contemplando la mar con niebla, esperando ver aparecer la motora conocida de regreso del trabajo, los hombres silenciosos, el arranque feliz, las primeras sonrisas, la invitación a las copas tras la angustia, luego las palabras: «Se nos echó la manta en el cabildo de Cabo Chico, estuvimos a punto de embicar para playa, ciegos que íbamos con más miedo que...»

Macario Martín salió a cubierta, golpeando la sartén.

—José— gritó —, que te estamos esperando.

El contramaestre bajó del cubo del pañol y fue andando por la cubierta. Junto al portillo estaba Macario, la figura borrosa, dale que dale a la sartén.

—Calla ya.

—A comer.

—No te echo a las aguas con sartén y todo...

—A comer.

Desapareció Macario en la cocina, avisando.

—A Afá no le gusta la música, música hijos míos.

Juan Ugalde y Venancio Artola golpeaban con sus cucharas en la mesa de la cocina; se divertían. Joaquín Sas estaba de mal talante y nervioso.

—Ya, Macario — dijo —, pon la marmita. Dejaos de chiquilladas.

Macario Martín sonrió a Sas.

—¿No comprendes que es un recibimiento a nuestro traganiños particular don José Afá?

En el puente, mientras Simón Orozco comía, el patrón de costa estaba al timón. En las guardias de los bacalaos, los dos Quiroga. Celso a babor, Juan a estribor. El patrón de costa monologaba:

—...no sé si una taberna, porque no sé si sirvo para tabernero. Hay que tener mucho aguante. No me acostumbraría. Si se muriera mi suegra, desde luego, tendría que seguir con la tienda, pero poner una taberna, partiendo la tienda, no sé, no sé si daría resultado. Los taberneros marchan bien...

Simón Orozco levantaba la cabeza y fijaba la mirada en las espaldas de Paulino Castro. Simón Orozco ordenaba las espinas al norte de la cazuelita.

—...ni a mediodía levanta un poco la niebla... La taberna sería pequeña porque la tienda es ya pequeña, pero mejor, así no tenía gente fija, así los de ronda que son los que dejan el dinero... Cerraría temprano para irme a beber un chiquito con los conocidos. Así no tienes que invitar en tu casa. ¿A ti qué te parece?

El patrón de pesca chupó largamente una espina.

—No sé, la gente de la mar no somos nada en tierra. Ponte en que no acertabas. Las cosas de tierra hace falta haberlas mamado. Tú estás hecho a esto, no sé...

Paulino Castro se rebelaba frente a la fatalidad.

—Hombre, yo creo que para la tierra servimos todos, no vaya a resultar ahora que nosotros somos como los peces y en cuanto se nos saca de las aguas nos morimos.

—Algo de eso hay — respondió Orozco —. El que está hecho a la mar, la tierra le viene pequeña. Ya puede coger el mejor oficio, que si es marinero... Aquí eres tú el que gobiernas, en tierra te gobiernan. Aquí estás solo con el agua y el cielo, y has tenido mucho tiempo para pensar tus cosas, allí no sé... Yo también, si pudiera, me retiraría. La verdad es que tengo ganas de dejar la mar, más ganas que nadie, porque estoy harto y quisiera quedarme en casa, con la mujer, con los hijos... Siempre estoy diciendo que este año es el último, que se acabó para mí la mar...

—Yo lo llevo pensando desde hace muchos años.

—Y yo también..., pero en la tierra no me encuentro a gusto. Cuando andaba sin contrato, en seguida de la guerra, me hubiera embarcado en cualquier cosa, me ardía la tierra; no he sabido nunca estar en tierra y pienso, pienso que es donde debiera estar.

Simón Orozco había terminado de comer; dejó la cazuelita junto a la radio, se levantó del banquillo.

—Dame la rueda, Paulino.

El patrón de costa le dejó el timón a Orozco; avisó a Celso Quiroga.

—Dale una voz a Macario para que me suba la comida; si ya han terminado, bajaos a comer; que suban Sas y Artola.

Gato Rojo había terminado su guardia y había comido. Estaba echado en la litera, tallando un corcho en forma de pez. El calzón caído, la camisa en bolsa, la mirada turbia. Domingo Ventura lo veía hacer.

—¿Para qué es eso?

—Para mi chico pequeño — respondió Gato Rojo —. Le prometí hacerle un pez de corcho.

—Cómprale uno de caucho, le gustará más.

—No.

El motorista cambió la postura, se dejó caer de la pierna derecha.

—Yo a mis chavales les compré la última marea un balón

de fútbol, a ver si les entra la afición y un día son jugadores y me retiran de la mar.

Dejó de tallar Gato Rojo, sonrió.

—Siempre pensando en trabajar, Ventura.

El motorista se rió. Tenía una risa idiota, que se le enredaba en los dientes de oro y le hacía arrugar la nariz.

—¡A ver qué vida!

Gato Rojo siguió tallando, Ventura se dejó caer de la pierna izquierda.

—¿Te divierte trabajar, Carmelo?

—Me divierte más descansar.

Los ojillos de Ventura ratoneaban desde las rendijas de los párpados. Se rascaba con las manos en los bolsillos.

—Si yo tuviera dinero, no te quiero decir qué plan... Lo pasaría en grande y os iría a esperar al muelle, para invitaros a unas copas.

El pez de corcho reposó sobre la barriga de Gato Rojo, la mano derecha jugó la navaja, la mano izquierda ascendió hasta la cabeza y se posó sobre la pelambre bermeja.

—De vez en cuando nos darías dos reales de limosna, Ventura.

—Os prestaría el dinero que necesitaseis; no soy un roñoso.

—Gracias por adelantado.

La mano izquierda de Gato Rojo descendió hasta el pez de corcho, volvió a tallar.

—Gracias por adelantado, caballero. Mientras tanto, a aguantar.

Los ojos de Domingo Ventura buscaron por el rancho.

—¿Dónde ha dejado las novelas Afá?

—Las ha guardado, creo...

—¿Tú no tienes nada?

—No tengo tiempo de leer.

Domingo Ventura giró la cabeza.

—¿También las ha guardado Espina?

—No lo sé.

Domingo Ventura salió a la pasadera, se asomó a los motores.

—Espina — gritó —, ¿dónde tienes las novelas?

Manuel Espina subió lentamente las escalerillas. Llegó donde estaba Ventura.

—No tengo novelas, se las he llevado todas a los de proa — cambió el tono de voz, preocupándolo —. Las toberas van mal, estoy ayudándole a Arenas, convendría que echases una ojeada.

—Bueno, ahora bajo.

Domingo Ventura volvió las espaldas a Espina y fue hacia su camarote. Manuel Espina bajó a las máquinas.

—Que ahora viene, dice Ventura.

Arenas se frotaba las manos con un cotón.

—¡Qué ahora viene! — dijo despreciativamente —. Bajará cuando llegue la avería o cuando ya no tenga nada que hacer.

En el camarote de Domingo Ventura había colgado un calendario con fotografías y refranes de la mar. En la litera superior se mezclaban los aparejos de pesca con las ropas y los alimentos extras del motorista. Domingo intentó poner un poco de orden en el batiburrillo, buscando una novela. Separó los aparejos a la izquierda, los alimentos a la derecha, las ropas las amontonó en la mitad, no encontró la novela y acabó confundiéndolo todo. Salió a las pasaderas y antes de entrar en la cocina llamó a los de máquinas.

—Arenas, que vengo ahora.

Alzó la cabeza Juan Arenas y cuando desapareció la figura del motorista comentó, encogiéndose de hombros:

—Tiene valor... larga trapo y hasta la vuelta.

Manuel Espina tenía el rostro enmascarado de tiznes. Las muecas lo hacían risible.

—Llamaré a Gato Rojo.

—Déjalo tranquilo — dijo Arenas —; si todo se escacharra, que lo arregle Ventura.

Ventura se había hecho sitio en la litera de Venancio Artola y estaba sentado cómodamente, digiriendo las aventuras de Afá. El contramaestre estaba de pie contando:

—Nos habíamos acercado al barco inglés; 3.500 toneladas. Les habíamos pasado toda la pesca que llevábamos, que no era mucha, porque esto fue al oeste de La Chapelle. Fue grande la cosa, antes de que nos diéramos cuenta ya lo teníamos encima. Yo no sé de dónde salieron. Sonaban los tiros por todos los lados. El patrón comenzó a gritar que todo el mundo al guardacalor. Los aviones alemanes nos daban pasadas sin dejarnos respirar. La mayoría se quería tirar al agua. Los del barco inglés comenzaron a cascarles. Yo no veía nada; estaba echado entre la amura y el portillo de la cocina, esperando que dejaran de tirar para colarme en el guardacalor...

—¿Y por qué no te levantaste y de un salto...? — dijo Ventura.

—Anda éste... De un salto, de un salto, allí no había quien se moviera. Tenía tal miedo que no me atrevía ni a levantar la cabeza; creo que lo único que funcionaba en mi cuerpo eran los oídos. En cuanto dejaron de tirar, ni sé el tiempo que estuvieron tirando, me metí en el rancho y no salí hasta que el patrón bajó a ver lo que nos habíamos llevado. Nos dijo que la chimenea la habían arrancado como quien arranca una berza, que habían entrado los tiros de paseo por el cuarto de derrota, que estaban las estampas de las cubiertas totalmente astilladas. «Asomaos, asomaos y veréis al inglés echar humo.»

—¿Y vosotros qué hicisteis? — preguntó Ventura.

—¿Nosotros? ¡Qué vamos a hacer! Nos largamos por si volvían.

—Vaya novela — dijo Ventura —. En tiempo de guerra debían armar los pesqueros...

—Y hacernos a todos oficiales — interrumpió Afá —. Con galones se hunde uno mucho mejor.

Macario Martín había terminado de arranchar la cocina y entró quejándose. El contramaestre le dio una fuerte palmada en las espaldas.

—Cuando toca trabajar, toca trabajar.

—Y los demás de feria, ¿verdad?

—Para eso cobras, Matao; un buen plus por hacernos la comida, más tus gajes.

Macario se bajó las mangas de la camisa y las dejó sin abotonar en los pulsos, cayéndole sobre las manos.

—Está uno bueno.

Domingo Ventura estaba preguntando a los hermanos Quiroga si tenían novelas. La contestación fue negativa.

Era hora de dormir.

Era hora de dormir y Afá y Macario Martín se fueron al rancho de popa seguidos por Domingo Ventura.

—Afá, déjame una novela para la siesta.

—Tienes dos mías que no me has devuelto.

—Se las llevó alguno de tu rancho.

—Ya lo sé, pero el que me tenía que devolver las novelas eras tú.

—Y cómo quieres... Bueno... Ya me pedirás algo... — amenazó —. Te contestaré lo mismo que tú... Siempre hay ocasión de devolver un favor...

Macario Martín sermoneó en broma:

—La venganza no es de cristianos como tú, la venganza es sólo de los que estamos fuera de la ley, hechos unos golfos. Tú tienes que perdonar a José, aunque José te haga toda clase de marranadas, como es su mala costumbre, ¿verdad, José? Pues a perdonar, hijo mío, que es lo tuyo.

En el rancho de proa los dos Quiroga — el del sueño rumiante, el de dormir inquieto — caían de estribor con los ojos cerrados. Juan Ugalde redondeaba el vientre con las primeras respiraciones profundas del sueño. En el rancho de proa se sentía el silencio, se palpaba el silencio, sonaba el silencio, compacto, gelatinoso, triste, de las siestas colectivas: prisión, cuartel, barco.

Manuel Espina había renunciado, con rabia, a ayudar a Arenas si no bajaba Domingo Ventura y Domingo Ventura no bajó a las máquinas. Manuel Espina dormía en su litera. Gato Rojo tenía sobre la taquilla el pez de corcho y la navaja cerrada; dormía. Macario Martín y Afá hablaron un poco, pero en voz baja, respetando el sueño de los compañeros, contra costumbre, y su misma conversación, casi un susurro, era una preparación para dormir. Domingo Ventura tendido en su catre, con los párpados entornados, fijaba los puntillos de los ojos en el candado de su taquilla.

Domingo Ventura abrió los ojos a los recuerdos. Halaba del cordel de los recuerdos, aplomado lejos, en la estela borrada. Candados de los botes en las cadenas de los remos, candados de los almacenes del ejército en la guerra, candados de los almacenes desde los que se distribuía el racionamiento. Candados que habían destripado a lima, a golpes, él y los demás de su banda de la calle de Tetuán, todos hijos de pescadores, todos raqueros del muelle. La vida de entonces... La vida corriendo por las machinas, saltando a las barcas, robando aparejos, robando pescado y yendo a venderlo en un cestillo por las empinadas calles del barrio obrero. Mareas bajas con carreras por el entramado de cemento de los muelles — huida de cangrejos, huida de ratas, el olor pesado casi líquido de la salida de las cloacas —; atraques y desatraques de embarcaciones pequeñas jugando horas y horas, soñando tiempo y tiempo; los baños del antedique... Bucear con una gran piedra entre las manos para andar por el fondo. ¿Quién resiste más? Una perrona de diez céntimos, una perruca de cinco céntimos, bajando, brillando en la transparencia del agua. Los chapuzones, las luchas, la perra en la boca para deslumbrar a los veraneantes que creían que las mordían como los peces, que las recogían a diente de la profundidad. Carreras y carreras y carreras, entrando, saliendo en la multitud paseante. Carreras de la guerra: bombardeos, refugios, sirenas. Los almacenes, con sus ventanas guardadas con clavos y tela metálica. El que era como una anchoa se colaba, el que era como un pilote ayudaba hasta la ventana, los demás distribuidos para dar la señal. Dar la señal. Se daba la señal y nuevas carreras en la oscuridad hasta una farola previamente destinada a la cita. ¿A quién han cogido? ¿Qué habéis mangado? La postguerra, los primeros embarques serios. La bajura. Aprendiendo cosas de motores. Exámenes. Viajes a Gran Sol. La armada. La vuelta y Begoña María. Los hijos serían como él. Toda la infancia entre carreras, toda la infancia entre la mar y el muelle, más cerca que nadie de las aguas por los entramados de la línea de atraque, con huida de cangrejos, de ratas, con el olor que se decía de cagalera de las beatas. Domingo Ventura se sentía atraído por el candado, hizo un gran esfuerzo para levantarse, desistió... Luego, suavemente, arrastrándose por la estrechez de la litera, encogiendo las piernas, incorporando el tronco, alcanzó con las manos el candado. Del bolsillo de la camisa sacó una diminuta llave y lo abrió. Después abrió la taquilla. La taquilla estaba vacía. Los bienes de Domingo Ventura estaban en la litera superior amontonados, revueltos, confundidos. Domingo Ventura se tendió en su catre y se arrastró hasta encontrar una posición cómoda. Cerró los ojos.

La niebla amarilleaba al norte. La sirena del «Uro» sonaba cercana. Castro movió la rueda a estribor. La rosa osciló en el

mortero. Artola desde babor comunicó la cercanía del barco
compañero.

El patrón de costa hizo sonar largamente la sirena. La sombra azulada del «Uro» se esfuminó en la niebla amarilla. La
niebla, al norte, amarilla de concha vieja, pasaba a los tonos
del nácar, hasta agriarse hacia el sur en piedra impenetrable.
Paulino Castro veía la proa del «Aril» cabeceando suavemente
en la andada.

—Se acaba el banco.

Simón Orozco agitó la mano derecha en el humo de su cigarrillo.

—Sin viento queda aún tiempo. Va levantando y con un poco
de viento estaríamos a cielo despejado.

Sas y Artola no eran necesarios. El patrón de costa per-
mitió:

—Podéis bajar.

Sas cruzó el puente hasta babor. Miró a Orozco, que tenía
la cabeza baja, consultó luego al patrón de costa:

—¿Van a echar un lance?

—No queda tiempo. Tras la niebla, en una hora, tenemos la
noche encima.

Dudó Sas antes de salir al bacalao de babor. Deseaba conversar con el patrón.

—Debemos estar ya muy al norte.

—Algo hemos subido. Sin tomar la situación no se puede
decir...

—Lo menos estamos frente a la bahía de Galway.

—Por ahí o más arriba.

—Mañana, si hay buenos tiempos, lanzamos y luego para
el sur.

—¡Quién sabe! ¿Tienes mucha prisa de volver a casa?

—No, patrón. Lo digo porque nunca hemos subido tan al
norte.

—Hasta los osos blancos esta vez, Sas.

Joaquín Sas sonrió tímidamente. Dijo:

—Cuando fuimos al bacalao a Terranova con la pareja estuvimos en un banco de niebla cinco días sin pescar. Tras la
niebla dicen que se pesca mucho.

—Eso dicen.

El patrón de costa no tenía intención de continuar la conversación con el marinero Joaquín Sas. Se hizo un silencio entre los dos. Sas esperó inútilmente que Castro dijera algo. Cuando habló no era para él.

—Simón — dijo Castro —, se está levantando viento.

Simón Orozco alzó la cabeza y se puso en pie. Sas miró hacia proa. Habló:

—Parece, patrón...

Los dos patrones estaban atentos al golpe de viento.

—Noroeste — afirmó Orozco —; malo, nos echará niebla; cerrará otra vez.

Paulino Castro movió afirmativamente la cabeza. El marinero Joaquín Sas quiso intervenir:

—Señor Simón, ese viento no es fijo.

—Ya.

Se retiró lentamente Joaquín Sas. En el espardel estuvo un rato contemplando la niebla. Después bajó a la cubierta.

Al atardecer el viento roló al norte. Al atardecer la niebla se rasgaba en vedijas oscuras y doradas. Al atardecer los barcos fueron emergiendo de la soledad limbática del banco y avanzando sobre un mar de olas apalomadas, bajo un cielo verdoso y vacío.

—Mañana, contando con el viento norte, buen día para arrastre — dijo Orozco —. Esta noche descansamos, esta noche al garete.

El patrón de costa pidió a los ranchos un hombre para el timón, ordenó que cesara el ululo de la sirena.

—A ver si hace marea — comentó Paulino Castro.

Iban apareciendo las primeras estrellas del norte. Simón Orozco hablaba por radio con el patrón de pesca del «Uro». Paulino Castro se sentía solo. Miraba la proa, la mar, el cielo, las estrellas. Pensó que alguna vez tendría que dejar la mar, que no sentiría, si la dejaba, una calma como en la que estaba integrado, que jamás sería compensado tan sencillamente como lo era en aquellos momentos no sabía por qué ni siquiera cómo. Mar, cielo, los barcos... Arriba, las estrellas. El viento a suaves ráfagas. Pensó que no podía quedarse en puerto, que no podría ir de visitante al muelle para ver partir las embarcaciones al Gran Sol, que la alegría de las llegadas a él le entristecía. Pensó que era un sueño, ni bueno ni malo, solamente un sueño, que en la realidad no se cumpliría, la taberna y el ultramarinos. Sus deseos de comodidad eran cenitales desde la mar, crepusculares en tierra. La tierra le cansaba. Estaría en la mar hasta que no pudiera sostener el rumbo en la rueda, hasta que no pudiera agarrar las cabillas, hasta que las piernas le fallaran y se fuera en los balances contra los costados ya mal estibado el corazón.

Simón Orozco terminó de hablar con el patrón del «Uro», dijo a Paulino:

—Pide suerte para mañana.

—¿Suerte en la mar? ¿Qué suerte va a haber aquí?

La costumbre era superior al sentimiento. Paulino Castro se quejó del oficio con la salmodia cotidiana. Simón Orozco fumaba mirando a la mar. Las luces de los barcos ya estaban encendidas.

El «Uro» y el «Aril» navegaban hacia el norte.

IX

E STABAN las tripulaciones en las cubiertas. El sol era todavía un disco rojo, coagulado, que reflejaba en las aguas tintándolas de escarlata. El sol iría destruyéndose, liquidándose en una inundación de luz. Las aguas volverían a sus colores radicales: verdes en los tornos de los barcos, azules hasta el horizonte circular. Onda a onda del verde al azul, bajo un cielo habitado de arrendotes, de ligareñas, de pájaros de Irlanda; pájaros de las rocas, de las olas atlánticas; pájaros de los palos y de las estelas de las naves; pájaros pescadores, fiesta de las sacadas de las artes.

Estaban las tripulaciones en las cubiertas. La mañana era alegre. Los pescadores se gritaban de barco a barco más por el deseo de oírse que por la necesidad de comunicarse. Trabajaban en el lance. Los patrones en los bacalaos de los puentes no dirigiendo, dejando hacer, contemplaban la faena. Había lanzado el «Uro». La red flotó unos minutos adoptando su invariable forma de mujer sobre la mar tranquila y se fue a fondo. Comenzaba el arrastre.

Los marineros no volvieron a sus ranchos. Se entretuvieron con la deriva de los barcos, se quedaron en los espardeles o en las cubiertas mañaneando. El contramaestre José Afá se sentía cargado de energía. Sin solicitar ayuda comenzó a trabajar en el malleo de una red. Venancio Artola colaboró contento, ante la agraviada y estupefacta presencia de Macario Martín.

Trabajar en la red es trabajo de hablar, de cantar, de humear el cigarrillo con parsimonia, moviéndolo a golpe de lengua de comisura a comisura, según el ojo que se cierra y lagrimea, según el gusto del consumidor. Trabajar en la red es hacer la cábala de la pesca a sacar, según las mallas que se atan para cerrar la boca de pérdida. Trabajando en la red corre el chiste, la petaca, la botella y el que descansa en los ranchos, el faenero de nevera, el que toma maroma y cable a brazo y martillo, se pierde la alegría en común, la alegría unificada de los compañeros. No trabajar en la red y participar de la alegría de los que en ella trabajan es un pecado. Pecado al que estaba habituado Macario Martín.

Juan Ugalde bajó a su rancho a buscar la aguja de madera para el trabajo. El círculo de malleros se fue ampliando. Del monte de red todos cobraron para sus lados extendiéndola por el espardel. Paulino Castro antes de acostarse hasta la primera virada dejó el bacalao para participar de la alegría. Paulino Castro era patrón y un patrón no comete pecado contemplando, siempre que no se le olvide corregir a tiempo a un mallero y atar hábilmente tres o cuatro mallas como ejemplo. A Macario Martín se le tornaron los peces barro. El contramaestre le pidió que subiese de su vino. No podía negar el favor: los compañeros trabajaban, él contemplaba. Se quejaría cuando las órdenes se multiplicasen, que sería al rato. Macario Martín bajó a su rancho y retornó con una botella de vino.

—El primero que la tienta soy yo — advirtió.

En todo había orden y el contramaestre se encargó de que fuese respetado.

—El que primero la tienta es el patrón, si quiere — dejó la aguja Afá y recogió los brazos con las palmas de las manos hacia arriba —. ¿Hasta dónde vamos a llegar, Matao?

Macario Martín ofreció de la botella a Paulino Castro.

—¿Quiere usted?

—¿Ahora? No, hombre.

—¿Y qué más da ahora que luego? El vino es un desayuno que aquí, en la mar, le compone a uno el vientre.

—No, hombre.

Macario Martín significó al contramaestre con un gesto que, tras el patrón, él estaba en su derecho de primogenitura. Afá se levantó a medias.

—No bebas, Matao, los primeros son los que trabajan.

—Déjate de tonterías.

El contramaestre Afá terminó de levantarse y arrebató la botella de las manos de Macario.

—Tú el último y para que veas que no quiero ser yo quien... — hizo una pausa —. Toma tú, Artola...

Venancio Artola no podía ser el primero, no había nacido para ser el primero, asi lo sentía y nada le hubiera hecho variar.

—Bebe tú.

José Afá insistió de gesto, brindó al concurso por si alguno quería ser el primero. Al fin bebió un traguillo. Macario Martín se apoderó de la botella antes de que pasara a peores manos. Bebió largamente, sostuvo la botella con la mano del delito y la contempló.

—Está muy bueno y yo decía que se iba a picar...

La botella pasó de boca en boca hasta que se acabó el vino. Volvió a Macario que la escurrió en sus labios, aprovechando las últimas gotas.

—¿Subo otra, José?

—Sube del tuyo.

—Ya me llegará el turno. Tú tienes mucho todavía.

El sol había templado las húmedas redes. Olía el barco a pintura vieja y a pescado; un olor que crece en los días anchos y que trae el puerto a la memoria. En los barcos de altura se atan redes sin secar, se recomponen sin oreo previo, con la pegajosa humedad de la mar dificultando el malleo. Las malas pinturas del guardacalor, de las barandas y de las amuras, se revienen al sol. Mancha el barco, huele el barco, sabe el barco. En los días anchos se bebe tal vez demasiado, porque el barco y el muelle, el presente y la memoria, la alegría y la nostalgia, combinan un deseo de vivir bebiendo y hablando, al que la marinería no se resiste.

—Sube de mi vino, Macario — dijo Artola —. Con ojo, Macario. No saques más de lo que subas.

—¿También tú lo mides? — preguntó Macario Martín.

—No lo mido, por eso.

Gato Rojo en las máquinas tallaba una goleta de corcho para los juegos de su prole. Una goleta de navegación a cordel por las mareas bajas de la rampa del puerto. Gato Rojo de niño había hecho navegar goletas, había rapado erizos, había disecado estrellas. Desde la rampa a las rocas, pasando por el muelle,

toda la infancia a media escuela. Gato Rojo sabía aplomar la
goleta de corcho para que no diera la vuelta, levantar el erizo
de su oquedad sin pincharse, secar la estrella sin que perdiera
alguno de sus brazos. De mocete había estado al pulpo con
aparejo de su fabricación. Sabía anzuelar con muergo para el
pancho, la moma, el chaparrudo... cada anzuelada un pez al
cestillo o a la bolsa. Gato Rojo había enseñado a sus hijos las
artes del niño pescador.

Gato Rojo sonreía mientras tallaba, dejaba los bancos de
los palos para los mimbres que sostendrían las velas, seguramente azules, hechas de un retal de camisa. Pensaba pintarle
el nombre del menor de los hijos en la proa, matricular la goleta con la numeración del «Aril». Gato Rojo vertía toda su de-
licadeza contemplando la goleta en el dique de sus manos. Gato
Rojo era para sus hijos un gran ingeniero naval, un gran armador, un gran capitán al que se le darían las novedades de
rigor: el barco se va de estribor, papá; el barco recoge mal el
viento y escora mucho; el barco es poco marinero y tendrás
que hacerme otro. Naturalmente Gato Rojo volvería a contemplar la goleta entre sus manos. Tendría que hacer otra. Tal
vez de tres palos, tal vez con más plomo en la quilla, pinzán-
dola para que no escorase ni se fuese de estribor y aguantase
mejor las ondas.

Manuel Espina y Juan Arenas dormían. Domingo Ventura
lastraba el estómago con pan y chorizo en su camarote. Salió
a las pasaderas metiendo la uña a la dentadura, trinando y
saboreando. Se acodó en el postigo de babor, respiradero grande del guardacalor, contemplando la mar iluminada. Blanquea-
ban las crestas de las olas. Lejano creyó ver un cachalote solitario y su jardinero surtidor. Fijó las cocotas brillantes de sus
ojos, entrecerrados los párpados, sobre el punto donde le pareció
ver el surtidor. Su mirada recorrió toda la mar hasta que tuvo
la evidencia del cachalote yendo hacia el suroeste.

Las bombillas de ordenanza, en máquinas, daban una luz
naranja casi resumida por la luz solar en su propia y frutal con-
formación. No trascendía la luz de las bombillas, quedaba en
ellas mismas, apretada, inútil, tristemente decorativa. Por los
ojos de buey, por el postigo de babor, entraban redondeados y
cuadrados los rayos del sol quebrando sobre las cosas. Rebri-

llaba el aluminio del escape de humos del motor. El motor re-
brillaba, metálico y oleoso. Por las pasaderas, por los pasamanos,
por las chapas de la cala parecía haberse derramado un barniz
que transformaba la suciedad en luz. Una impregnación de luz
dulce que en la inclinada cabeza de Gato Rojo era una fo-
gata, que doraba sus antebrazos desnudos y vellosos. Las espaldas de Domingo Ventura era única mancha de penumbra en
la mañana de las máquinas.

Simón Orozco tenía los ojos cansados de observar la marcha
del barco compañero entre las aguas y el cielo. El puente era
un agradable mirador a la mar. El puente era una fresca, una
serena rendición a la luz. La seca cubierta, de proa tenía color
de caña setembrina con las dos manchas de negro brea de las
coberturas de la nevera y el pañol, elevándose violentas y a
punto de estallar como burbujas. La grasa de los carretes se
derretía. Brillaba el nombre del barco en el puente. Brillaba
el metal de la bitácora. Simón Orozco en la soledad de su trabajo rompía, como una roca móvil la fuerza y suavidad de la
corriente, el armónico tránsito de las luces. Simón Orozco en
sus paseos de pasos contados, en su calmoso ir y venir, en sus
paradas repentinas en las ventanas de babor, agitaba la claridad
de la mañana en el puente.

Macario Martín ya no estaba en disposición de cumplir las
órdenes de abastecer a los rederos. Se apoyaba en la baranda
mirando a la mar, mirando a los pájaros en el ángulo que iban
abriendo los barcos. De pronto se alborozó.

—José — dijo —, ¿me prestas tu aparejo, que voy a echar
una línea a los pájaros?

—No.

—Uno que no come hoy pollo. ¿Me prestas tu aparejo, Venancio?

—Coge el viejo. No toques el nuevo que lo quiero estrenar yo.

—Bien. ¿Viene alguno a popa?

Joaquín Sas se levantó.

—Voy contigo.

La charla continuó en el espardel. Macario Martín bajó a
la cubierta seguido de Sas.

—¿Con qué cebamos? — preguntó Sas.

—Tienen hambre, con cualquier cosa. Si tuviéramos hígado de bacalao...

Joaquín Sas y Macario Martín tendieron sus líneas a los pájaros. Domingo Ventura con la boquilla sin cigarrillo entre los labios, les acompañaba. Una ligareña picó sobre el cebo de Sas y levantó el vuelo.

—Son muy listas — comentó Sas.

Dos arrendotes siguieron a la ligareña y se disputaron el cebo. Levantaron el vuelo.

—No apresurarse, ya caerán — dijo Macario —. El hambre no da consejo sano.

El pájaro sucio, el pájaro cágalo, el inmundo pájaro que se alimenta del excremento de las aves de la mar, perseguía ligareñas a medio vuelo, cambiando caprichoso, escogiendo como un gastrónomo.

—Ese pájaro es peor que los cuervos, más asqueroso — afirmó Macario Martín.

Los tres de popa seguían el vuelo del pájaro cágalo. Una ligareña, asustada dejó caer su ofrenda. El pájaro inmundo picó sobre el excremento que recogió antes de que llegara a las aguas.

—El tío guarro... — dijo Macario.

Un arrendote había picado en el anzuelo de la línea de Sas, que comenzó a halar. El pájaro batía las alas desesperadamente, caminando por la superficie de la mar.

—Así, así, que dé zancadas, que no vuele — animó con su consejo Ventura —. Hala de prisa, hala... Ya está.

Sas recogió el arrendote por estribor. Lo apretó de las grandes alas e hizo un movimiento para golpearlo contra el casco del barco.

—No, déjalo vivo — gritó Macario —. Trénzale las alas.

Se desenganchó el anzuelillo del garganchón del pájaro.

—Se lo había tragado bien — comentó.

Le trenzó las alas y lo arrojó sobre cubierta. Domingo Ventura lo empujó con el pie.

—Vaya pico.

El pico de presa del arrendote, amarillo y curvo, tabaleaba en el hierro del guardacalor. El arrendote tenía una baba de sangre en el pico y sus hermosos ojos — avizorantes ojos de atalayero, alucinados ojos de víctima rebelde — se movían hostiles buscando sus celestes poblaciones. Todavía la suciedad de la cubierta no manchaba su nubada pechuga.

En las revueltas aguas de la estela las dos líneas de pesca convergían como las líneas de ribera de un camino del llano; se perdían en la destrucción de la perspectiva por los reflejos del sol. Los marineros pescaban los pájaros al tiento cuidadoso, como si pescaran en aguas profundas, cegados por la luz, engañados por las picadas someras. A veces una ligareña levantaba el vuelo con el cebo en el pico, sosteniéndolo, y lo dejaba caer mientras Macario maldecía, Sas recuperaba el aparejo y Domingo Ventura engordaba de risa.

Fueron cayendo pájaros: mascates de vuelo tenso y poderoso, arrendotes, salteadores de los copos de las artes, ligareñas de la algarabía... Un petrel fue devuelto a sus oficios de arranchar las olas, limpiar la estela, alisar los malos tiempos. Macario Martín pescaba por babor, cuidadoso de la boza de cadena que se movía en las correcciones del rumbo de arrastre. Macario Martín tenía a sus espaldas el monte de pesca, palpitante e iracundo. Pidió a Domingo Ventura que contara los pájaros.

—Debe de haber unos veinte — dijo Ventura calculando a ojo, sin molestarse en la cuenta —; se puede hacer un *menú* arregladito.

Macario Martín recobró su aparejo.

—Ya está bien — dijo —. Los voy a organizar — guiñó un ojo — con arroz. Ahora hay que despellejarlos, sangrarlos y que se oreen.

Joaquín Sas puso una gota de su sabiduría de hambres costeñas a la proposición de Macario.

—Una vez pelados lo mejor es macerarlos bien. Aunque se oreen les sale el bravío de la mar... Macerarlos en agua dulce y luego cocerlos y luego a la sartén y luego al buche.

Macario Martín cogió un arrendote para golpearlo contra la cubierta. Joaquín Sas iba a imitarlo.

—No.

Hizo un gesto de extrañeza Sas.

—No — repitió Macario —. Vamos a asustar a Afá.

—Déjate de chiquilladas, Matao — habló Sas, levantando el

pájaro sobre su cabeza y golpeándolo contra la cubierta —.
A... lo tuyo.

El pájaro, tras el golpe, se calambraba en la agonía, estirando
las patas y abriendo los dedos palmeados con las membranas
tensas y brillantes. La rota cabecilla caída, el pico feroz en su
desmandibulado ahogo de muerte, las alas todavía trenzadas,
hacían del pájaro un grotesco fracaso de la hermosura.

—No — insistió Macario —, si Afá está en el rancho hay que
darle un buen susto con los pájaros. Si duerme, mejor; se los
ponemos en la litera.

Joaquín Sas había colgado el pájaro muerto de un enganche
del guardacalor. Aún tenía el animal un estremecimiento, un
postrer reflejo que se agotaba en las membranas de los dedos;
membranas que fueron arrugándose a medida que los dedos se
crispaban en una última presa de algo ya escapado a las honduras del cielo o el mar, de algo disuelto, evaporado, de algo
inexistente. La tristeza del pájaro muerto fue sustituida por la
ridícula sensación que daba su cuerpo despellejado. Sas había
hecho una incisión en torno del cuello, había fracturado las
grandes, veleras alas y había cortado por las fracturas. Luego,
tirando hábilmente hasta los muslos del pájaro, le fue quitando
el pellejo, que pendía como unos calzones sanguinolentos, de
azulina humedad, sobre las dos ramitas de las patas.

Cortó Sas por los muslos, cortó por el cuello. La grandeza
del pájaro en vida ya no era más que un chico apelotonamiento
de músculos, algo parecido a un corazón, de las dimensiones de
un corazón con las arterias y las venas amputadas.

—Un bocado — dijo Macario y se quedó contemplando entre
sus manos el cuerpo que Sas le daba, dispuesto ya a sacrificar
otro pájaro —, un bocado — repitió — que es la primera carne
de verdad que voy a comer desde la salida de marea.

Domingo Ventura despertó al trabajo. Se remangó la camisa
suelta por los puños, guardó su boquilla de ocioso y se desató
carnicero golpeando pájaros, celebrando muertes, despellejando
furioso e inhábil, hasta romper a veces en el esfuerzo el cuello
del ave. Hubo al fin en proa un montoncillo de alas, de cabezas,
de pellejos. Macario Martín cogió el pellejo de un arrendote y
lo volvió. Colgaban las patas como unos siniestros pendientes.
Era suave el plumón; suave, cálido, con la dejadez de las cosas

muertas. Lo acarició un momento manchándolo con sus manos ensangrentadas y lo echó a la mar. La estela se pobló de los restos del sacrificio de los pájaros. Las aves de la mar abandonaron las aguas del barco; volaron altas y temerosas.

—Ya no volverán — dijo Sas — hasta que pierdan de ojo los desperdicios. Hoy no pescaríamos ni uno más si lo intentásemos.

Macario Martín se fue a la cocina por dos cubos de agua dulce. Sas alineó los pájaros en la cubierta. Cuando volvió Macario, explicó a Sas:

—Uno a uno, apretando bien, pero no mucho, porque luego la carne parece estopa.

—Bien.

Macario y Sas comenzaron la maceración de los pájaros. Domingo Ventura con la boquilla entre los labios, recuperada para tascar la holganza, los brazos separados para no mancharse las ropas, contemplaba.

—¿Con arroz, Macario? — preguntó Sas.

—Con arroz — afirmó Macario — es como mejor están, y si tuviéramos tomate con tomate. Tan buenos como si fueran pollos.

Joaquín Sas, en cuclillas, pendiente de su trabajo, sin levantar la cabeza, contó:

—Hará cinco años, cuando se andaba tan mal de alimentos, se vendían la pareja de gaviotas a tres pesetas, los mascates a dos cada uno. Yo he cogido muchos para venderlos. La gente se aficionó. Todavía hay algunos que lo piden.

Domingo Ventura escupió a la mar. Dijo:

—Yo, por gusto, ni verlos. Ahora, cuando no hay más...

Terminaron de macerar los pájaros.

—¿Los ponemos a orear? — preguntó Macario.

—No, los echas a la marmita grande y que cuezan; así se les va todo el bravío.

Los pájaros sacrificados, que vivos no cabían en el cielo, cupieron muertos en la marmita. La observación se debía a Macario Martín, que había dicho: «Al que la mar le está estrecha de vivo, de muerto le viene más que ancha». Macario Martín se traía sus latiguillos mechados de filosofía, que aplicaba a observaciones cotidianas, a sucesos diarios que formaban la costumbre. Costumbre eran también en los oídos de los compañeros las frases de Macario Martín.

Calentaba el sol en el espardel y los rederos habían terminado el trabajo yéndose a refugiar en los ranchos. La mañana avanzando hacia el mediodía había perdido su alegría de las primeras horas. Macario y su ayudante Sas sudaban en la cocina. Domingo Ventura desde la cubierta, asomado al portillo, contemplaba con desgana las vueltas de espumadera que Macario daba a los pájaros en la marmita.

En estribor, colgando sobre la barca de salvamento, la red puesta a secar hacía hamacas. Domingo Ventura fue buscando lo seco y se tumbó. Se tumbó cara a la mar, con los ojos semicerrados, con un vapor de sueño de las vísperas del almuerzo, invadiéndole la cabeza. Le asustó la voz del patrón de costa que le hablaba desde el bacalao con un trozo de pan en una mano y un cacillo de vino tinto.

—¿Descansando fatigas? — preguntó Paulino Castro.

Domingo Ventura contestó algo ininteligible, entre de molestia y de felicidad. Se sentía incapaz de ser coherente en sus palabras.

—Des... — no completaba las palabras — sue... co...

Las últimas sílabas eran ruidos inarticulados.

—Ya es hora de comer — dijo el patrón de costa.

Para Domingo Ventura había pasado muy rápidamente el tiempo.

—¿Ya? — preguntó.

Macario Martín había subido con la marmita al espardel. Domingo Ventura estaba de pie con una inseguridad de soñoliento, con un balanceo de mareado.

—Venga, Domingo, que hay pollos...

El patrón de costa se sentó en la caja donde otrora estuvo prisionera una paloma. El arroz tenía un ligero tono oscuro. Los pájaros eran casi negros.

—Que suba esa gente... — dijo Paulino Castro —, que no vamos a estar esperando hasta que... Que se den prisa...

Simón Orozco comía lentamente, en pie, mirando hacia el barco compañero. El patrón de pesca del «Uro» comería, en pie, mirando a su estribor. De vez en cuando movería la rueda un poco, la sujetaría con los cabos y volvería a su centinela. El cansancio, el aburrimiento, la vaciedad de siempre.

Parecía la mar más líquida. Más ligera. Su color azul oscuro había aclarado. En la lejanía se veían las siluetas, negras y pequeñas úes, de una pareja arrastrando hacia el sur. Era una pareja grande, con unos tirabuzones de humo alargándose y deshaciéndose en la marcha; una pareja de las pocas de Gran Sol que navegaban a carbón.

Paulino Castro interrumpió su comida para tomar la situación. Cuando entró en el cuarto de derrota por el sextante el patrón de pesca le habló.

—A ver si terminan pronto ésos, que vamos a virar.

Desde el bacalao Paulino Castro tomó la altura del sol. Avisó a los marineros que se iba a virar. Domingo Ventura comía cuidadosamente arroz, separando los pájaros. Macario y Sas, como pescadores, hacían valer sus derechos, sus hambres de mediodía devorando pájaros en doble ración. «Afá — dice Macario— está hoy contramaestreando». Afá estaba serio entreteniendo dignamente el apetito con unos huesecillos de ave. No había prestado su aparejo y no podía demostrar entusiasmo en la comida. Sin hablar, quería significar que no estaba bien la marmita, que comía por comer, que los pájaros estaban duros. José Afá contramaestreaba.

Por las escotillas ascendió la voz de Gato Rojo, la voz de virada. Afá dejó inmediatamente de comer. Sas y Macario fueron los últimos en abandonar sus puestos en torno de la marmita. Quedaron el patrón de costa, el motorista y los engrasadores Arenas y Espina.

Sas y Macario bajaron a cubierta masticando. Afá estuvo seco en sus órdenes. Luego la dignidad se le fue reblandeciendo. Macario comentó:

—Tira la red, buen copo.

Los barcos cobraban malleta y avanzaban sobre la red. Los arrendotes, las ligareñas, los mascates volvían a sus vuelos alborotados en el ángulo que iban cerrando los barcos.

Verdeaban las aguas en una gran mancha sobre el copo a punto de saltar. Saltó el copo y se encendió un espejo de pescados en el mediodía de la mar. Macario gritó entusiasmado.

Afá se volvió hacia el puente, desde el que contemplaba Simón Orozco.

—Patrón, todo blanco.

Simón Orozco sonreía, moviendo la cabeza afirmativamente. Los hermanos Quiroga se golpearon mutuamente las espaldas. Sas silbó. Venancio Artola y Juan Ugalde hablaron disparadamente en vascuence. El patrón de costa andaba en el bacalao de babor, conversando con Orozco. El motorista y los engrasadores exageraban la redada.

—La más grande — dijo Arenas — de todas las mareas de este año.

La punta de la red fue pasada al «Uro». El «Aril» se apartó. Todos los tripulantes del «Aril» contemplaban la maniobra de izar la red. En el «Uro» se trabajaba de firme.

—Si no salabardean en seguida, rompen el arte.

La cabeza de Gato Rojo asomaba por la escotilla.

—Arenas, es tu hora — dijo Gato Rojo —. Baja y déjate de cuentos.

—Ya voy, hombre, ya voy, espera tres minutos... Otras veces se te ha esperado a ti...

Gato Rojo estaba invadido del nervioso entusiasmo de la gran redada.

—Baja pronto — insistió.

Arenas no oía. Luego, con lentitud, se apartó de las barandas.

—Ya voy, Gato Rojo... — dijo.

Simón Orozco golpeó con el puño cerrado en el hierro del bacalao.

—Dios, Dios, Dios...

Golpeó con los dos puños.

—Dios, Dios, Dios... Daos prisa que rompéis la red, que la rompéis...

Ordenaba al barco distante. Se volvió a Paulino Castro:

—Que metan el salabardo pronto, que se cargan el arte. Lo tienen muy pegado al casco y se les va a abrir con el roce.

Paulino Castro estaba atento a la maniobra.

—¿Les damos un toque por la radio?

—No, ahora no se les puede distraer. Que metan pronto el salabardo...

El copo estaba pegado al casco del «Uro». Un hombre saltó al copo flotante y con un bichero intentó despegarlo.

—¡Dios! — dijo rabiosamente Orozco —, no se les ocurren más que idioteces. Que den marcha atrás o se les cuela el copo debajo.

El «Uro», en cuanto el hombre del copo saltó a la cubierta, hizo marcha atrás y se despegó del copo. Ya tenían preparado el salabardo. A poco comenzaron a salabardear. Simón Orozco respiró profundamente.

—Ya era hora.

Las conversaciones volvieron tras la expectación de los momentos pasados a tener un tono de alegría. Gato Rojo estaba en el espardel hablando con Domingo Ventura.

—Con media docena de redadas así se llenan los barcos. Con cuatro días que tengamos suerte, para el sur.

Gato Rojo calló pensando en el sur, pensando en la llegada, con día claro, a la vista de los perfiles costeños cantábricos. Las discusiones de siempre entre los tripulantes: «es el Médico, es la roca de la Virgen, tras ese monte está el pueblo...»; o «esa roca no es el Médico, esa roca es la de Pata Vieja y en seguida tendremos la torre del faro, me apuesto lo que...». El sur era para Gato Rojo seis redadas de suerte, el sur era para Simón Orozco la entrada con los barcos llenos en el puerto de marca más alta para la merluza.

Acabaron de salabardear en el «Uro». La cubierta blanqueaba de merluza y pescadilla, manchada por el verdiamarillento color de los bacalaos.

—Han sacado mucho bacalao — dijo Afá —. Han tenido un pico de suerte. A ver nosotros lo que hacemos.

Los barcos se fueron juntando para el segundo lance. A medida que se acercaban se asombraban los marineros de la importancia de la pesca.

—Salen doscientas cajas — dijo Afá.

—Salen más — afirmó Macario.

Tras el segundo lance, comenzó el trabajo en la cubierta del «Uro».

—Les lleva preparar todo eso hasta la sacada de la noche — dijo Afá.

Macario Martín movió la cabeza afirmativamente. Afá se

volvió hacia el patrón de pesca, asomado a una ventana del puente.

—¿Quién sacará esta tarde, señor Simón?

—Ellos.

—Tienen mucho trabajo ya.

—Mejor, José, cuanto más trabajo, mejor. Mañana sacaremos nosotros.

Arrastraban los barcos hacia el norte. El patrón de costa comunicaba la situación comprobante al «Uro».

—Estamos en el cincuenta y cuatro, veinte, latitud, once, cincuenta y dos, longitud. ¿Hay diferencia de tu observación?

Macario Martín entró en el rancho, frotándose las manos.

—Como esto siga así — dijo —, mañana se nos prepara buena.

Los pájaros de la mar aureolaban el «Uro».

X

Las nubes, negras, grandes, procesionales, llegaban de sus nidos tormentosos del extremo noratlántico. El azul celeste recortaba sus quebradas periferias escandinavas. Parecía cuarteado el cielo. La luz hería los ojos y borraba en gris los colores y los agitados relieves de la mar. Un plácido viento nordeste fundía espumas y alas, cuando los pájaros picaban sobre la pesca paleada a las aguas.

A mediodía había sacado el «Aril». Los barcos arrastraban en el segundo lance. En la cubierta del «Aril», incapaz para la redada, trabajaban los tripulantes en una superficie de pescado que bordeaba y a veces se derramaba por las amuras. En la punta de proa paleaban los hermanos Quiroga. Afá ocupaba su puesto habitual junto al palo. Macario echaba bacalaos a sus espaldas para trabajo de los engrasadores que carneaban sobre unos cajones. Sas, Artola y Ugalde, trabajaban en hilera pegados a los carretes. Desde el puente contemplaba Paulino Castro, sin oficio en la pesca. Simón Orozco llevaba el barco al rumbo y atendía al arrastre iniciado. Domingo Ventura tascaba boquilla en el espardel, oculto a los marineros de proa, visto únicamente por los engrasadores que hacían faena debajo de él.

Las bocas feroces y dolorosas de las merluzas, los cuerpos sumergidos en los cuerpos, amenazaban desde la muerte. Los lenguados, recorte de suelo, tembloroso límite de arena de fondo — ojos nublados, tacto graso, horizontalidad de espina — eran pura sumisión desde la muerte. Los bacalaos y las barruendas de senatoriales testas, solidificadas gelatinas, habían muerto plácidamente. Los peces menores de la redada — pintarrojas, rapes, besuguillos, cucos, carnavales, payasos, rayas, escualos... — manchaban de colores la plata blanca, la plata negra, la plata negriverde de los pescados de gran marea y el cáñamo de los pescados planos.

El viento nordeste amainó hasta la caricia; se absorbió en sus honduras nórdicas. Los trabajadores de proa sintieron suceder al viento el bochorno. Azul y nubes; ovas, tripas, hígados, sangre, vientres abiertos; los cuerpos someros de la apretada superficie de pescados estaban secos de sus humores naturales. Hacía calor. José Afá se desprendió del chaquetón del traje de aguas. Al rato se quitó la camisa. Macario Martín sentía que gotas de sudor se le deslizaban por medio del pecho. En los codos de Gato Rojo se secaba la sangre de los bacalaos.

La tarde se afoscaba. La tarde se resumía en la gran redada, en las cajas de pescado, en las cajas de cocochas y de ovas, en la caja de los hígados, en el montón de los desperdicios, que un agua cálida arrastraba por la cubierta hasta los imbornales cegados. El agua se encharcaba en la cubierta, junto a la cocina, en babor y estribor, hasta la curvatura de la popa. Gato Rojo con la escobilla de afretar la cubierta empujaba desperdicios hasta las puertas de trancanil, empujaba éstas con el pie y dejaba que el agua se los llevase. Los pájaros de la mar rozaban casi las amuras en los garabatos de sus vuelos, en pos de todo lo que se echaba del barco; pájaros de hambre sin hartura.

A media tarde hubo ronda de vino. A media tarde emergieron los hombres del trabajo, de sus caldas de sudor y pescado, de la soñarrera de cansancio, luces y reflejos. Se miraron a las caras, como desconocidos, enmascarados de fatiga. Ninguno habló. La pausa del trago fue una pausa mecánica, en la que los pescadores se fueron pasando la botella como un relevo; relevo en el que recobraban sus normales armonías faciales cuando bebían.

Reanudaron el trabajo. Bajaron a la nevera Afá y Macario Martín. El cambio de labor les animó. Los hermanos Quiroga descolgaban las cajas. Afá cubría el pescado con el hielo que picaba Macario. Afá estaba en su quehacer desnudo de medio cuerpo. La bombilla rompía su luz en los cristales de la picadura, rielaba su luz por la gran masa de hielo. La pesada luminosidad de la tarde caía aplomada por la escotilla. Las cajas que

Afá iba cubriendo de hielo, libraban en el pantoque húmedo, amarillento, un rectángulo. En su torno aumentaba la breve, geométrica, cordillera glaciar de los derrames del relleno.

En máquinas ya estaba en la guardia Manuel Espina. Al entrar de refresco en el trabajo de cubierta Juan Arenas, cantiñeaba su flamenco barato hasta que le mandaron callar. Preguntó sorprendido:

—¿Es que uno no puede cantar?

Joaquín Sas, sin verle, desde los carretes, le respondió en un tono aburrido.

—No, no puedes.

Arenas hizo un movimiento de hombros y se aplicó a separar bien la espina, sin dejar filete, del bacalao que carneaba. Gato Rojo había hincado su cuchillo en el cajón y apilaba bacalao para el friego y la salazón.

—Sale mucho bacalao, nos vamos a llevar unos buenos lotes — dijo Gato Rojo.

—Ventura, en el catre. No debía entrar en el reparto.

La cabeza de Gato Rojo hizo un movimiento de resignación.

—Díselo.

—¿Yo? Estoy a malas y quieres ponerme a peores. No, eso se lo tiene que decir el contramaestre..., pero no se atreverá.

—O decírselo al señor Simón.

—El señor Simón no quiere saber nada de esto.

La cabeza de Gato Rojo tenía en la tarde morada un peso de oro viejo, una consistencia mineral, cuando el cuerpo se irguió y el engrasador quedó un momento mirando la mar.

—En este asunto del bacalao, Ventura siempre se escabulle.

—¿En qué no se escabulle?

Juan Arenas, al cortar la cabeza del bacalao y abrirlo en canal, dejó dos escotes en los lados de las agallas. Desde la unión de los dos arcos, pasó el cuchillo hasta la cola, rápida, hábilmente. Abrió el bacalao como un cuaderno grande. Lo lanzó a su espalda y escuchó el chapoteo de su caída, seguida de su avance resbalando por el declive de la cubierta hasta la charcada de agua y sangre.

—Si es verdad lo de la pareja y el bou, habrá que buscarse otro asiento...

Juan Arenas cogió un bacalao y lo dejó sobre el cajón. Introdujo la punta del cuchillo en la fosa anal y tiró hacia la cabeza. Rajó, arrancó las entrañas y las echó a la mar. Rodó la cabeza de un tajo atinado; Gato Rojo la empujó con el pie hacia la amura.

—Es el viaje en que más ganas de volver tengo...

El pantalón de aguas de Juan Arenas estaba mal cuidado, endurecido. Le formaba aristas desde la cintura hasta las corvas. Juan Arenas, trabajando el bacalao, tenía aire de payaso a medio vestir, con el pantalón de aguas y la camiseta sin mangas.

—¿Tú tienes tabaco ahí?

Juan Arenas se chupó una espinada, escupió; se apretó el dedo y salió una bolita de sangre negra, como un ojo de cangrejo. Gato Rojo desatrancó los imbornales y sobre la mar se vertieron cinco chorros de aguas sucias, turbias de sangre y vísceras.

—Voy al rancho por una botella.

Gato Rojo tiró de un congrio, lo volteó sobre la cabeza y lo golpeó contra la cubierta. La boca del animal se entreabría peleadora y agónica. Joaquín Sas apartó una molva pequeña y siguió trabajando. Comería molva, si había un rato libre, y si no, de la marmita de Macario. Pero la molva... hacía mucho tiempo que no la comía. A veces salían en las redes cuatro o cinco arrobas, a veces en toda una marea ni aparecían. Sabía mejor que la marueca, entre el sabor de la merluza y el del bacalao. La prepararía en salsa verde, suponiendo que Macario hubiera traído perejil...

—Toma un trago, que no te vean.

Juan Arenas tenía los ojos brillantes y ganas de cantar, muchas ganas de cantar. Comenzó a tararear cortando bacalao. Gato Rojo bebió de trago largo. Colgó la botella de la pestaña del cierre del portillo de la cocina. Se apoyó en la amura y calculó en voz alta.

—Si la marea sigue con suerte llegamos al medio millón. Si llegamos al medio millón vamos a salir con bastantes perras. Descuentas las ciento treinta y cinco mil de los barcos. Los por cientos de los patrones y de los motoristas, en total unas cincuenta y cinco mil. — Guardó silencio. — Nuestro por ciento, unas mil para cada uno de nosotros, échale el sueldo, échale las cocochas y las huevas, desembarca cajas y estás en las dos mil y pico bien. Dos mil doscientas, por ejemplo. Bueno, ya es dinero, ya está bien. Tienes que quitar la libra de Bantry. Dos mil cien. Y si le aumentas dos o tres merluzas de la cena, si el señor Simón está de buenas. Y si le aumentas el lote del bacalao. Dos mil seiscientas. Dos mil seiscientas es buena marea, es para alegrarse. — Volvió a guardar silencio. — Se necesita un poco de suerte, que salga la pesca como desde Bantry. Se necesita que rondemos el medio millón.

—Te dejas el bonito del regreso, si hay suerte.

—No lo cuento, lo del bonito es una mentira. Hablamos constantemente de que vamos a sacar y sacamos cada cinco mareas. El bonito no lo cuento. Si lo contase podíamos acercarnos a las tres mil. Son muchas pesetas. Nunca se llega a tres mil pesetas. Nuestras mareas son de mil quinientas, deja que ésta sea de mil pesetas más y vamos muy bien.

Juan Arenas canturreaba, moviendo los labios exageradamente, haciendo muecas. Juan Arenas se quejó del primer motorista.

—Ya podía salir a echarnos una mano. Al pasar lo he visto tirado en su catre, despatarrado.

Gato Rojo colgó de la barra agarradera del guardacalor el congrio limpio. Gato Rojo, con la mirada en la popa, cortado el cielo por la boza de cadena, siguió la estela hasta la lejanía de las manchas de las parejas del arrastre. Partía rumbo un mercante de la línea de América, navegando hacia el suroeste.

—Se han olido las redadas — dijo Gato Rojo.

—El patrón habrá avisado a los barcos cercanos de la misma clave.

—Si pescamos todos bajará el precio de la merluza.

—No te preocupes. Todos no pescarán. Mañana verás cómo está la mar, pero ya será difícil un buen copo. Pescarán para cumplir, nada más. Los buenos copos se los lleva, como en todo, el que primero llega.

Gato Rojo se puso al trabajo de carnear bacalao. Le corría el sudor por el cogote. Una pintarroja se retorcía en las aguas de la cubierta cegados de nuevo los imbornales. Pequeños gallos machacados sobrenadaban en las aguas.

—Limpia tú ahora — dijo Gato Rojo.

Domingo Ventura estaba en su catre largando humo por las

narices, viéndolo adensarse en la calma de su camarote. Paulino Castro sesteaba intranquilo de sudorcillo, de malestar de estómago, de pesadilla de tarde caliginosa. Simón Orozco asido a las cabillas de la rueda mancornaba el timón, sostenía el rumbo, llevaba el arrastre.

Simón Orozco se asomó a una de las ventanas del puente, observó el trabajo. Macario Martín se alzó a pulso a la cubierta. Habló con Venancio Artola.

—Baja tú a picar un rato, que voy a preparar la marmita.

Se oyó la voz rotunda de Simón Orozco:

—Déjate ahora de preparar marmitas, Macario, hay que acabar esto antes de que saquemos. Vuelve a la nevera o limpia pescado. No estamos para andar perdiendo el tiempo en la cocina.

—Es que ya se echa la hora, señor Simón — dijo Macario.

—Haz lo que te he dicho.

—Pero es que...

Simón Orozco repitió:

—Haz lo que te he dicho.

El patrón de pesca desapareció de la ventana. Macario Martín estuvo unos instantes mirando hacia el puente, desafiante; luego, murmurando, bajó a la nevera. El contramaestre escuchó los complicados insultos de Macario, las barbaridades barrocas de Macario, sin alterar su ritmo de trabajo, sin que se le alterase un rasgo de la cara. Macario Martín se adentró en la nevera y golpeó rabiosamente con el pico en la masa de hielo.

—Así, así — dijo Afá con calma.

—Tú también... No me... Me voy a tener que...

—Así, así, que todavía hay mucha faena y se nos va a echar la red de la noche y entonces vas a tener ocasión de cansarte y de querer escaparte para la cocina.

Macario Martín tiró el pico furiosamente contra el hielo. Multiplicó sus barbaridades. Afá, en las pausas de Macario, reía sonora, falsamente.

—Venga, sigue destripando el hielo. Venga, muchacho, coge el pico y sigue dándole.

Macario Martín dejó de renegar. Ya había encontrado con quién desahogarse. Sonrió.

—Tú, José, eres de la mejor raza de zorra que conozco. Te

mata un tío y tan contenta, esperando que venga otro. Tú pones la cama, das la propina al sereno, no le cobras al tío y encima le das dinero para que se compre una corbata. Bien, haz lo que quieras, llevas un buen camino.

—Pamplinas. Hay que hacerlo.

—No digo que no.

—Pues se ha acabado, ni cama ni... Hay que hacerlo.

—No digo que no. Si hay que hacerlo, se hace, pero no es como para estar cantando salmos. No es como para que todavía' te traigas bromas.

—Se ha arreglado la marea.

—Sí, sí... Lo que tú quieras, pero...

—No tienes razón, Macario. Trabajas porque viene dinero, no porque se le ocurra al señor Simón.

—Ya no me faltaba más. Estaría la cosa bien si yo me pusiera a trabajar porque al señor Simón o a San Remigio se le ocurre de pronto decir que tengo que tirar de pico y no cenar.

—¿Quién ha dicho que no vas a cenar?

—Él.

—Mentira, Macario. Lo he oído desde aquí abajo. Ha dicho que trabajases que no estábamos ahora para que tus bazofias distrajesen unos brazos.

Macario Martín ya sosegado golpeaba con el pico, rítmicamente. Dejó el pico y paleó hacia los pies del contramaestre.

El cielo estaba cubierto de nubes. Una gran concha morada sobre la mar, con su interior de nácar hacia el cielo. Al Oeste se filtraban rayos de sol, barbas de sol, que caían oblicuos sobre las aguas. Venancio Artola lanzó una merluza a la cubeta, donde lavaba el pescado Juan Ugalde.

—Mala cosa — dijo Artola —, lloverá esta noche. Vamos a tener trabajo duro, muy duro.

—Si estuviéramos en tierra, deseando estaría de que lloviese, deseando. Este calorazo no se puede aguantar. Si estuviéramos en tierra me gustaría ver llover desde el portal de casa, quieto, quieto. Viendo llover, viendo mojarse, a alguno al pasar por la calle. Riendo, muy contento. Si seguía lloviendo subiría a casa o me iría a la taberna para tomarme un vaso.

En el cubridor de' la nevera lavaba pescado Joaquín Sas. El

agua sanguinolenta bordeaba y se derramaba con la marcha del barco.

—Acércame la manguera, Venancio.

Artola obedeció.

En el puente, Paulino Castro — cabellera revuelta, ojos cargados de modorra, malestar general — cambiaba impresiones con el patrón de pesca.

—Debieras sacar antes, ¿no te parece?

—No llueve hasta la madrugada. Si temporalea nos parte la marea con lo bien que cargaba ahora.

—No será temporal, pero vamos a tener mucha agua. Si se suelta antes de la madrugada y la sacada es grande no sé cómo van a trabajar éstos en cubierta.

—No, hasta la madrugada no se suelta. Al enfriarse el aire habrá chubascos, todavía quedan muchas horas. Además, ahora no se puede sacar porque metemos un copo como el del mediodía a bordo sin acabar éste y...

—Que saque el «Uro».

—Hay un orden. Se quejarían y con razón. Hoy nos toca a nosotros.

—No tiene importancia.

—Sí tiene importancia. Y el orden tenemos que respetarlo. Tenemos que sacar hoy, para emparejar las sacadas. No van a trabajar más unos que otros. Tiene que ser así.

Paulino Castro escupió un salivazo al bacalao del puente.

—Estoy peor que antes de echarme. Más cansado y más fastidiado.

—Vuélvete a la litera.

—Ya lo estaba pensando.

Al atardecer terminaron de limpiar el pescado: Afá comunicó al patrón de pesca las cajas que habían entrado en la nevera. Macario Martín estaba preparando la marmita. Artola y Celso Quiroga se quedaron afretando la cubierta mientras los demás descansaban en los ranchos. Juan Arenas entró en el rancho de proa.

—El bacalao está preparado — dijo —, solamente falta salarlo.

—¿Ahora? — se quejó Joaquín Sas.

—Cuando queráis.

—Hay que dejarlo para luego. Tenemos que cenar. En seguida darán la virada.

—Como queráis, pero como el copo de ahora sea como el del mediodía vamos a estar trabajando hasta el amanecer y luego, encima, tendremos que salar todo el bacalao.

—Eso se hace en un momento— dijo Sas, estirándose en su litera —, eso no es trabajo.

Juan Arenas propuso turnos. Podían salir a cubierta tres a salar el bacalao y esos tres libraban de salar en el segundo copo. Sas dijo:

—Por mí está hecho.

El contramaestre Afá entró en el rancho.

—Salid a cenar que el señor Simón quiere virar en seguida.

Comieron merluza con patatas. Joaquín Sas se quejó de la marmita.

—Se te podía haber ocurrido alguna otra cosa, Matao.

—No ha habido tiempo— contestó Macario Martín de mal humor —. Díselo al señor Simón que no me ha dejado venir a la cocina.

La última cucharada del contramaestre Afá coincidió con la voz de virada de Gato Rojo ya de guardia en las máquinas.

—Ni calculado— dijo Afá.

—Vista— afirmó Macario.

Domingo Ventura no apareció durante la cena. Cuando los primeros marineros estaban en cubierta entró en la cocina. Preparó calmosamente una sartén y comenzó a freír gallos. Preguntó a Juan Arenas:

—¿Han subido la cena a los patrones?

—Solamente al señor Simón.

—Bueno.

Domingo Ventura preparaba su jugada. Habían virado los barcos y estaban cobrando malleta. Juan Arenas y Manuel Espina salieron a cubierta y subieron al espardel. Arenas comentó:

—¿Te apuestas algo a que Ventura le está haciendo la cena al patrón de costa?

—Claro que le está haciendo la cena. Eso es seguro.

—Pues me parece que se equivoca, porque el patrón no ha querido cenar y está tumbado con la barriga revuelta.

—Me alegro no por el costa sino por esta porquería de co-
bista.

—Es algo que prefiero no decir. Es todavía peor que el Matao.

—Según. Son un buen par de pájaros.

—Peor Ventura.

—Según.

En la mar oscura, entre dos luces, albaba la red, prieta de
pescados. Manuel Espina y Juan Arenas oyeron las voces de
costumbre en la sacada. Manuel Espina y Juan Arenas desata-
ron el salabardo de la baranda del espardel.

—Otra copada — dijo Espina.

—Trabajo hasta el amanecer, lo que decíamos.

Se encendieron las luces de los barcos. Simón Orozco, desde
el bacalao de estribor, dirigía la maniobra de salabardear el
copo. Paulino Castro opinó:

—Ha entrado menos.

—Menos, pero es un buen copo.

El pescado quedó extendido sobre la cubierta. Cada hombre ocupó su puesto. Simón Orozco dejó el timón a Paulino
Castro.

—¿Al norte?

—Al norte.

Domingo Ventura subió al puente.

—Patrón, ¿quiere usted cenar?

—Luego.

Simón Orozco entró del bacalao.

—No se te ve, Ventura — dijo medio de bromas —. ¿Dónde
te metes?

Ventura sonrió. Simón Orozco continuó:

—Luego ya te llevarás un buen lote, ¿eh?

Ventura seguía sonriendo.

—Tú eres muy cuco, Ventura, si yo tuviese que ver en eso,
si fuese marinero, no ibas a coger lo que se dice ni una
espina. Quien no trabaja no tiene derecho a beneficiarse del
bacalao.

La sonrisa de Ventura era ya una mueca.

—Este sabe demasiado — dijo Orozco a Castro —, sabe mucho, pero conmigo no le valdría. Si yo fuese marinero...

—Pero no lo es usted — dijo Ventura y volvió a sonreír.

—De eso te salvas.

Domingo Ventura bajó a la cocina. Cuando desapareció por el portillo, Arenas y Espina comentaron.

—Le ha fallado. Me alegro.

—El señor Simón no le tiene simpatía, cualquier día le dirá algo.

—En eso no se puede meter el señor Simón. Son cosas nuestras. Simpatía no le tiene, desde luego.

Era totalmente de noche. Noche prieta, noche calurosa. Al oeste relampagueaba el cielo. Una brisilla tenue traía a ráfagas un golpe de frescor.

Manuel Espina preguntó a Juan Arenas:

—¿Bajamos ya?

—Espérate.

Los hermanos Quiroga paleaban pescado a la mar en proa. Desde el espardel las aguas iluminadas en torno al «Aril» se veían cuajadas de peces, de espejos, que se hundían en las profundidades. Todavía navegaban a media marcha la pareja.

—Mira ahí — señaló la mar Arenas.

Una caila gigante casi flotando se acercaba perezosamente al barco.

—A cenar — dijo Espina.

—¿Le damos la cena? — preguntó Arenas.

Simón Orozco estaba en el bacalao, contemplando el comienzo del trabajo en cubierta. Arenas le avisó:

—Patrón, una caila muy grande.

Simón Orozco se volvió de repente.

—¿Dónde? ¿Dónde?

—Ahí, pegada al casco. Desde la amura casi se la puede tocar.

—Echadle un gamo, de prisa — gritó Orozco —. Venga.

Espina y Arenas bajaron a la cubierta. A Simón Orozco dejó de interesarle por unos momentos el trabajo de cubierta y solamente le preocupó el escualo que comía junto al barco los desperdicios de la redada.

—Ahora la tenéis — dijo Orozco.

Arenas y Espina, casi a un mismo tiempo, echaron los gamos al animal. Pasaron dos segundos y parecía no haber sido herido por los grandes garfios. De pronto nació un remolino, se levantó un fantasma de espuma. Los astiles de los gamos pegaron sobre cubierta, se movieron forzadamente los dos engrasadores.

—Fuerte, fuerte — gritó Orozco.

Espina apalancó sobre la tapa de regala y el gamo saltó partido. La caila se soltó del garfio de Arenas. Orozco golpeó con las dos manos en la baranda del espardel.

—Se largó — dijo, desilusionado —, pero se llevó su ración.

—Ha partido el gamo — dijo Espina.

Simón Orozco observó la mar, esperando que apareciese de nuevo el escualo. Movió la cabeza.

—No, no vuelve; lleva mucha leña.

Orozco echó a andar hacia la punta del bacalao. Arenas y Espina se miraron.

—Esta chaladura — dijo Espina — que tiene el señor Simón a las cailas...

—Cada uno tiene sus manías — atajó Espina —. Yo a las ratas, cuando navegaba en el bou viejo, en el que desguazaron... Bueno, me inflaba de cazar ratas. Con una cesta y pan pasado, se cogían las que uno quería. Cuando tenía unas cuantas las echaba a la caldera o a la mar. Venía uno que se ponía al lado de la caldera cuando echábamos las ratas para oírlas estallar, no lo logró nunca. En la mar, si el barco está quieto es más divertido, les echas un gamo y comienzan a subir por él, cuando las tienes a modo les pegas un tanganazo con otro gamo y al agua. No hay que dejarlas subir demasiado porque igual te saltan y te muerden en la cara. Son bichos asquerosos.

Arenas, cuando Espina terminó de hablar, preguntó:

—¿Vamos a meterle mano al bacalao?

Joaquín Sas, aprovechando que el patrón de pesca estaba en el puente, gritó como de bromas:

—Los engrasadores, los señoritos, que ya es hora.

Intervino Simón Orozco:

—Ahora vienen.

Joaquín Sas alzó la cabeza.

—Es que, señor Simón, los del motor son nuestras pulgas, trabajamos y encima nos chupan la sangre.

—¿Qué dices tú? — preguntó, enfadado, Arenas.

—Que no dais ni golpe.

—Tú das, muchacho. ¿Quién se ha preparado todo el bacalao de la primera virada?

—Menos, menos.

Afá trabajaba pegado al palo de proa. Gritó:

—Señor Simón, mañana no sacaremos nosotros, ¿verdad?

—El primer lance no. Sacaremos el segundo — hizo una pausa y miró al cielo —. El segundo, si hay segundo.

Simón Orozco entró en el puente y pasó al cuarto de derrota.

XI

V IENTO fuerte de popa; viento largo del norte. Arrastraban hacia el sur los barcos de Simón Orozco. Tras la tormenta de la mañana nubes de temporal cubrían el cielo. La lluvia parsimoniosa, espadada, oscureciente, tapaba los horizontes extremos de la mar. Después de la virada del mediodía los hombres de la tripulación del «Aril» habían vuelto a sus ranchos. En el «Uro» se trabajaba en la cubierta preparando el pescado del último copo.

En el puente del «Aril» Simón Orozco — la mirada a los petreles rasando las olas, la mirada a la negrura del barco compañero partiendo las espumas, espumado de pájaros — tenía la melancolía de la contemplación de lo acostumbrado. La melancolía que invade en la soledad del puente al hombre del timón. Melancolía de los objetos cuyo brillo se conoce, cuyo tacto se sabe: rosa de los vientos, casco de bitácora, rueda de sobadas cabillas... Melancolía del paisaje fijo desde siempre en la memoria: vacía mar verdegris a proa, mar pizarrosa a estribor, mar de los vuelos de los petreles hasta la mancha oscura del barco de pareja, que tiene sobre sí motas blancas trazando figuras de calidoscopio; vuelos de fardelas, arrendotes, ligareñas, enjambrados en la silueta confusa.

Arfaban los barcos. Las aguas batían por proa a popa, dejaban en la cubierta un musgo de espuma y golpeaban las puertas de trancanil saliendo a bocanadas. En el «Aril» un hombre corría hacia proa con dificultad, asiéndose de la barra del guardacalor. Junto al palo de popa esperó el golpe de una ola. Sintió que el agua le llegaba por las rodillas, que había penetrado en sus botas. Abrió el pañol del guardacalor y volvió a correr por la cubierta.

El contramaestre Afá, cuando entró en el rancho, se descalzó y vertió el agua de sus botas como en un juego de niños, adelgazando los chorritos para que el entretenimiento durase algunos segundos más. Macario Martín, bocabajo, contemplaba los dos reguerillos por el suelo, corriendo hasta un montón de basura donde formaron un charco pequeño que luego fue absorbido.

—Elige y pásame una — dijo Macario Martín.

—No, me he mojado, Macario; el que quiera peces...

—Venga, José...

—Ni hablar, no dejo novelas, he tenido que ir por ellas. Allí hay otras dos o tres; vete tú. Eres un comodón.

Macario Martín se dio la vuelta en su litera y pasó los brazos bajo la cabeza.

—Estás hecho un idiota.

José Afá se secaba los pies con la manta de algodón recogida junto al cabezal. En el rancho hacía frío y la estratificación de la pereza, por literas, era igual a la del humo del tabaco. Gato Rojo no gozaba del ocio porque su obsesión de trabajo le acuciaba. Gato Rojo tenía que arreglar una vieja cazuela de los dominios de Macario Martín. Había sido el mismo Macario el que detuvo los impulsos laborales de Gato Rojo: «No hay prisa, descansa un buen rato y si luego te da tiempo, lo haces; no te preocupes porque ahora no la necesito».

Juan Arenas gorgoriteaba sentado en la escalerilla de subida a las pasaderas. En el escalón inmediato al que tenía puesto los pies caían gotas de agua de la escotilla abierta. El agua corría como azogue por los escalones manchados de gasoil, llegaba hasta el pantoque y allí se perdía hacia los canalillos de escapes. Juan Arenas gorgoriteaba soñador de damas de cabaretes, de noches con dinero, buen traje y veinte años menos.

En el rancho de proa Venancio Artola tomaba conciencia vascongada ante el horror económico y moral que explicaban las palabras de Sas.

—Cuarenta duros, pero es de cine.

Venancio Artola prefería la contemplación cinematográfica

desde anfiteatro segundo, por cuatro pesetas, que aquel despilfarro de la casa pública.

—Cuarenta duros — dijo Artola — son muchos días de mar. Eso es para millonarios.

Sas estaba de vuelta del valor del dinero, a veces le entraba una idea golfa de tirarlo todo a barlovento en vino y en mujeres. Sabía que el viento tiene su rumbo y que la juerga de veinticuatro horas le iba a dejar vacío y amargura, que volvería a la mar y no contaría las hazañas del tiempo franco hasta pasados unos días, cuando el arrepentimiento fuera ya garra muerta y solamente se anudase el recuerdo en la línea de los días. El recuerdo que era ya como un timbre de virilidad, aunque había sido arrepentimiento y desvalimiento primero. Pero Joaquín Sas no tenía remedio y sus días estaban contados entre nudo y nudo de pagas estrelladas en noches de juergas.

Los hermanos Quiroga y Juan Ugalde se quejaban de la sacada de la tarde con la mar creciendo.

—Viento rolando y amolando — dijo Juan Quiroga —, viento para irse ciscando.

Celso Quiroga, posando la uña a su prominente nuez, entornaba los párpados pensativo. Juan Ugalde rompía el augurio de los malos tiempos esperados, refraneando.

—Norte, noble. Sur, albur. Este y oeste, la peste. Si a nordeste el norte, al noble el patrón reste. Si a noroeste, en mar de playa, la caña no preste. Al norte, al sur, al este y al oeste, Jesús a la proa, la Virgen al puente, San José a la popa. Yo creo que nunca se sabe si van a ser malos o peores.

—Malos o peores — repitió Juan Quiroga.

—El trabajo nunca es bueno tampoco.

Celso Quiroga contempló su larga uña pulgar de la mano derecha, la afiló entre dientes y volvió a pasarla por la rotunda nuez. Habló:

—Si los tiempos empeoran, como parece, el patrón dará la virada y después para el sur, ya llevamos bastantes días. No vamos a esperar a que mejore porque el que mejore sería una casualidad. Aquí no mejora la mar más que por casualidad, tres veces al año y da las gracias.

Aumentó la fuerza del viento pasada la media tarde. Grandes olas se abrían en horizonte por la mar de popa. Afá y Macario

Martín salieron a amarrar el arte de la estampa de popa. Los trajes de aguas, verdeaban y amarilleaban, casi fosfóricos, en la tarde oscura. Los rostros de Afá y de Macario se habían transformado con la lluvia, con las salpicaduras de las olas, con la fatiga de la faena, en unas manchas grises y difuminadas que, en algunos instantes, tenían surcos, cortes, prominencias de carátulas. Afá y Macario corrieron agachados por la cubierta hasta el portillo de la cocina, Afá se secó la cara con un trozo de arpillera. Dijo:

—Que dé pronto la virada el patrón porque esto...

—Esto...

Se quitaron los grandes chaquetones.

—Esto... — dijo Macario Martín — ...Va a haber que atarse a las literas.

Afá cerró el portillo después que un golpe de agua entró y anegó la cocina. El barco se movía violentamente, saltando a un lado y a otro como un animal furioso encadenado. Gemía la boza recorriendo las aletas de popa, de estribor a babor. Temblaba el guardacalor inseguro en su afianzamiento ante la fuerza de la mar.

—Tendrá que virar si no quiere que nos quedemos sin el arte.

—Hay que halar pronto de la red — confirmó Macario — ; no están las aguas para seguir arrastrando.

Simón Orozco salió al bacalao del puente. Pocos minutos después se oyó la voz de virada, dada por Manuel Espina.

Los hombres aguantaban la mar malamente en la cubierta. Paulino Castro estaba a la rueda. Simón Orozco animaba en la prisa desde el bacalao.

—Adujar como podáis. No os preocupéis. Avante.

Por las espaldas sentía Celso Quiroga correrle el sudor y el agua, que le entraba por el cuello del traje. Los barcos iban convirgiendo. Pasaron la punta de la red desde el «Uro», que se apartó y, ya libre, cogió mar y tuvieron ritmo sus balances. El copo saltó, inmenso, sobre la mar, como una hoguera blanca en la negrura de la tarde.

—Preparados — gritó Simón Orozco.

Comenzaron a sacar la red, que flameaba pesadamente con el viento. El copo tiraba y hacía escorar la embarcación.

—¿Salabardeamos, patrón? — preguntó Afá.

—No está la mar para meter el salabardo. Hay que sacar el copo entero.

—Lleva mucha pesca.

—Ya.

—Se va a abrir.

—No importa. Sacar el copo. No está la mar para salabardear. Venga, venga...

Afá hizo una señal a Celso Quiroga que tenía la palanca de los carretes a la mano. La red, negra y densa, se alzó como una ola sobre las cabezas de los pescadores; cayó sobre cubierta. El copo golpeaba contra el casco del «Aril». Macario Martín abrazó la red con un cabo, que engarfió. Bajó la mano Afá y otra vez se alzó la red sobre cubierta y otra vez cayó pesada y ciegamente.

—Dos golpes más y está fuera. Ánimo — gritó Simón Orozco.

Macario Martín repitió la operación de estrechar la red con un cabo. Afá se había apartado. Venancio Artola y Juan Ugalde desprendían el pescado enmallado y amontonaban el arte sobre la amura de babor.

—Cuando se ice el copo, atáis el arte, no se lo lleve el agua con el creciente de la mar — advirtió el patrón de pesca.

El copo traía mucha pesca. El primer intento de izarlo a cubierta falló. Pegó en la amura y después volvió a las aguas. Simón Orozco golpeó con las dos manos en el hierro del guardacalor.

—Dios, Dios, Dios...

El cable se tensó hasta la vibración, dando un quejido irritante y el copo rozando los costados del barco se fue alzando sobre la mar.

—Basta — ordenó Simón Orozco.

Saltó el agua al descender la red con la gran masa de pescado. El patrón de pesca bajó a la cubierta.

—Afá, Sas, Venancio, empujad con los gamos hasta que se pare un poco.

Paulino Castro estaba asomado a la ventana del puente.

—Da marcha atrás cuando baje el brazo — dijo Simón Orozco.

Empujaron con los bicheros el copo sin lograr separarlo del

casco de la embarcación. De pronto un golpe de agua lo separó.

—Ahora — ordenó Simón Orozco.

Fue levantado el copo de las aguas, penduleó sobre la mar chorreante, lloviendo pequeños pescados. El copo era una breve nube negra de plateadas entrañas entrevistas.

—Arriba.

La voz de Simón Orozco era perentoria.

Crujieron las poleas, el cable, la red. Distintos crujidos en un tono agudo.

—Arriba, arriba — repitió el patrón de pesca.

Simón Orozco miraba a lo alto del palo de proa.

—¡Cuidado! — gritó.

Saltó sobre la tapa de regala y se asió a las mallas intentando atraer la gran masa que amenazaba en su caída a Macario Martín. Las poleas, el cable y la red crujieron y hubo como un rechinamiento sostenido y luego una fracción de segundo de silencio total e inmediatamente un golpe largo y sordo. El copo se había derrumbado sobre cubierta arrastrando a Orozco, aprisionándolo, caído, contra la amura. Macario Martín, abrazado al palo mayor, miraba a sus espaldas.

El patrón de pesca tenía las manos apoyadas en la tapa de regala, crispadas en el esfuerzo de querer emerger de la masa que casi lo cubría. Simón Orozco tenía el rostro vuelto hacia la mar.

Afá saltó sobre la red.

Atónitos, los compañeros contemplaban al contramaestre junto al patrón de pesca.

Afá se arrodilló sobre la red.

El contramaestre quiso en un abrazo desesperado arrancar al patrón de pesca de las inundaciones de la muerte.

Joaquín Sas saltó sobre la red.

Sas abría con su cuchillo la red repleta, la red como un fruto de la mar.

Macario Martín saltó sobre la red.

Se quebrantó el silencio con ruidos y expresiones inarticulados — fatiga, angustia, miedo — y el mar, batiendo las amuras, alcanzó las manos del patrón de pesca, sin fuerza de repente, serenas de improviso. Los cuchillos abrieron el copo en torno a Simón Orozco y, a brazadas, frenéticamente, Afá, Sas y Macario sacaron el pescado arrojándolo en un círculo que fue creciendo, mientras el arte se vaciaba. Simón Orozco volvió la cabeza y en la turbiedad de su mirada se mezclaron los rostros de los compañeros, las botas de los compañeros en un paisaje confuso de fauces, ojos desorbitados, hermosos cuerpos de las grandes merluzas y los grandes bacalaos.

Cuando ya estaba al timón Celso Quiroga, Paulino Castro saltó sobre la red.

Simón Orozco se derrumbó en el vacío del arte, resbalando sus manos por la tapa de regala, incapaces de sostenerlo en el abismo.

En el rancho de proa, en la litera de Venancio Artola, echaron a Simón Orozco. Respiraba débilmente. Macario Martin tenía un pañuelo empapado de vinagre en la mano del delito. Con él frotaba suavemente el cuello y el pecho de su patrón, Simón Orozco. Paulino Castro hablaba en voz baja con el contramaestre.

—Está reventado. Hay que llevarlo a puerto.

—No durará.

—Hay que llevarlo a puerto. La mar está empeorando y hay que alcanzar costa en cuanto se pueda.

—¿A qué distancia estamos de costa?

—Cien o ciento diez millas.

—Ni a la madrugada. Habrá muerto.

Venancio Artola estaba quitándole a Simón Orozco los borceguíes cuando éste abrió los ojos. Dijo con esfuerzo:

—¿Qué haces, hijo?

—Las botas, patrón.

—Déjalas. Las voy a necesitar. Déjalas.

Un oscuro gesto de dolor invadió el rostro del patrón de pesca.

—Ánimo, señor Simón — dijo Macario Martín —. Vamos para costa.

Simón Orozco abrió los ojos y los volvió a cerrar.

Paulino Castro ordenó al contramaestre:

—Quedaos solamente tres, que los demás se vayan a popa, para que pueda respirar... Subo al puente. Hay que avisar al «Uro».

Al salir, Paulino Castro dijo al motorista y a los tres engrasadores, que estaban junto a la puerta de la cocina:

—Está reventado. No va a tener remedio. Lo ha aplastado contra la amura. Debe de tener rotos todos los huesos... — cambió el tono de la voz —. Uno a máquinas que tiramos para costa.

Cuando puso el pie en cubierta estaba muy cercano el «Uro» con toda la tripulación de proa a popa, expectante. Llegó al puente y marcó en el telégrafo: Avante. Toda. Dio el rumbo a Celso Quiroga y comunicó con el barco compañero. Poco después el «Uro» y el «Aril» proaban hacia Irlanda.

Sas, Artola y Ugalde habían recibido orden de atar los cortes del copo como se pudiese, para salvar el pescado de la gran redada y afianzar el arte con cabos al palo de proa, a los carretes y a los abitones. Ugalde abandonó un momento la cubierta para pedir ayuda. Entró en el rancho de proa y se acercó al contramaestre.

—Macario, sal a ayudarles — dijo Afá —, y que vaya contigo el que esté libre de los engrasadores.

Macario Martín entregó el pañuelo empapado en vinagre a su amigo Afá.

—Pásaselo por la boca, frótale en el cuello bajo la barbilla. Le calmará, José.

Simón Orozco no llegó a abrir del todo los ojos. Habló con esfuerzo:

—Macario, ven, di a Paulino que no se deje llevar la redada que aunque la mar empeore no se la deje llevar... Echadle unas cadenas del pañol de popa.

Macario Martín movió la cabeza afirmativamente sin responder de palabra.

—¿Me has oído, Macario? — preguntó Simón Orozco.

—Sí, patrón.

—Afá — llamó el patrón de pesca —, Afá, ¿vamos para costa?

—Sí, señor Simón.

—El cable... Los accidentes ocurren por nuestra culpa, pero el cable ése debiera haber resistido. Dilo al inspector.

—Sí, patrón.

Simón Orozco abrió los ojos.

—Ponme un cabezal más y déjame el pañuelo del vinagre.

José Afá obedeció al patrón de pesca.

—¿Qué tal, señor Simón? — preguntó.

—Mal, José, Gran Sol se ha acabado.

El barco bandeó fuertemente y Simón Orozco se quejó con un grito desgarrado.

—Sujetadme con lo que haya, José. Llama a Paulino.

José Afá se volvió hacia Juan Quiroga.

—Busca unas correas. Busca cuerda y avisa al costa.

Juan Quiroga salió del rancho de proa.

—Entra, Ventura — dijo Afá —, que vas a sostener al señor Simón cuando vuelva Juan.

Manuel Espina y Gato Rojo observaban desde la puerta.

Estaban encendidas las luces de los barcos. Crecía el temporal: altas olas y fuerte lluvia, acompañadas de un viento violento, que pechaba contra las naves. En la cubierta apenas se podía estar. El agua arrastraba pescados hasta popa, los volvía a proa. Los golpes de las puertas de trancanil se sucedían sin ritmo, a veces rápidamente, a veces con silencios, en una calmilla entre olas, que centraba la pesca arrebatada entre los imbornales y las puertas, hasta que un golpe de agua la arrebataba a la mar o la arrastraba de proa a popa, de popa a proa. Toboganes oscuros, remolinos de plata envolvían al «Aril». Macario Martín rodó por la cubierta.

Paulino Castro se asomó a una de las ventanas del puente.

—¿Está eso? — gritó —. ¿Está eso? —repitió.

Joaquín Sas aspó los brazos.

—Fuera — gritó el patrón de costa—. Fuera ya.

Los hombres se retiraron de la cubierta. Macario Martín cerró el portillo de la cocina. Comentó con Sas:

—Esta noche acaba con el señor Simón.

—El viejo es muy fuerte.

—Esta mar lo volverá loco. Sufrirá mucho.

—Tiene mucho valor el patrón, es mucho hombre el patrón.

—Ya lo sé, pero la mar...

Gato Rojo preparaba las correas que había encontrado Juan Quiroga. La trampilla del techo del rancho de proa se abrió. Bajó Paulino Castro. El patrón de costa al acuclillarse junto a la litera de Simón Orozco, dijo:

—Simón, ¿oyes?, vamos a Irlanda, pero la mar aumenta, no sé si nos salvaremos de hacer capa. ¿Me oyes?

El patrón de pesca abrió los ojos.

—Te oigo, Paulino.

—¿Cómo te encuentras?

—Esto se acaba. Atadme y hacer capa si es necesario. Cuida el barco, Paulino.

Paulino Castro alzó la cabeza e hizo una señal a Afá. Le pasaron las correas desde las manos de Gato Rojo. Simón miró al patrón de costa.

—Por el pecho no, Paulino. Atadme de las piernas, atadme de la cintura. Poned algo contra el guardacalor, por si me voy contra él.

El patrón de pesca cerró los ojos. Ventura y Afá levantaron a Simón Orozco. Los labios de Simón Orozco se afilaron en una línea lívida, mientras el rostro se le oscurecía.

—De prisa — apremió Paulino Castro.

Una voz estertorosa, abrió los apretados labios del patrón de pesca, agotó las fuerzas de dolor que la produjeron y cayó, como si de un pájaro muerto se tratase, sobre los mismos labios, sonido o ala desmayados. Afá retiró lentamente sus manos del cuerpo de Simón Orozco. Paulino Castro y Domingo Ventura lo ataban a la breve barandilla de la litera y a las barras de sostén. Luego fueron rellenando el breve hueco entre el cuerpo y el guardacalor de ropa limpia y cabezales.

El barco saltaba entre las olas. El patrón de costa ordenó al contramaestre:

—Sube al puente, estaos al rumbo y si la cosa se pone muy mal, avisáis.

Afá, desde la mesa del rancho, subió al cuarto de derrota. En el puente, al timón Celso Quiroga, proclamaba barbarizando los miedos de la mar.

—Hay que hacer capa — dijo Afá —. Déjame ahora la rueda.

Celso Quiroga se asió al armario de la sonda eléctrica.

—El patrón peor, ¿no?

—No se salva. Es mucho peso el de una red para un hombre. Le cogió de una manera que debe estar por dentro...

—Hay que hacer capa, José, no llegaremos a puerto hasta que la mar nos deje. ¿Vivirá hasta mañana?

—¡Quién sabe!

Macario Martín pasó el pañuelo impregnado en vinagre, que Simón Orozco había dejado caer en su pecho, por el rostro y cuello de su patrón.

—Ánimo — dijo, como en un susurro, Macario —. Ánimo, patrón.

Simón Orozco hizo un esfuerzo.

—No hay ánimo, Matao.

En el rancho de proa estaban con el patrón de pesca, Paulino Castro, Domingo Ventura y Macario Martín. En la cocina, aguantaban la mar Joaquín Sas, Juan Quiroga y Venancio Artola. En el rancho de popa, Juan Arenas y Juan Ugalde. En las máquinas, Gato Rojo y Manuel Espina.

En la cocina, Sas, Juan Quiroga y Artola hablaban en voz muy baja, en la voz de las antesalas de la muerte, difuminada la conversación por los ruidos del barco, absorbida por los ruidos de la mar. Monologaban indistintamente y solamente quedaba de la conversación la atención a los labios del monologante de turno.

—...Vamos cortando hacia Valentia o Bantry, si no navegaríamos al través del viento. Una mar así no lo permite...

—Un buen hospital es lo que se necesita. Un médico, hay que avisar por radio...

—...habrá que hacer capa, que nos retrasará; no llegaremos a tiempo, no llegaremos a tiempo...

El contramaestre llamó desde el puente al patrón de costa. La voz llegó debilitada al rancho de proa y Celso Quiroga repitió desde la trampilla la llamada. Simón Orozco quiso incorporarse, desistió y preguntó a Macario Martín:

—¿Qué pasa, Macario? Aún suena el motor. Haced capa. Aguantad. Si no, nunca llegaremos a costa.

Simón Orozco parecía no sentir los balanceos de la nave. Solamente se quejaba cuando algún golpe de mar hacía escorar el barco y su cuerpo caía a babor o a estribor, tensando las correas. Macario Martín intentaba animar a su patrón. La voz de Simón Orozco se tornaba dulce:

—Calla, calla, Matao.

—Ánimo, patrón, que nos salvamos de la capa.

—No, Macario, la mar tiene su ley. Mañana capa todo el día, siento el viento empujar las aguas... mañana...

Simón Orozco apretaba los labios y se estremecía.

—Hay que mirarle, patrón, el golpe ha sido muy fuerte, pero...

—Siento... no sé lo que siento... tengo las entrañas revueltas...

Macario Martín cubrió los labios de Simón Orozco con el pañuelo.

—Calle, patrón.

—La red...

—Ha sido mi culpa.

—La red, la mar. La mar es la culpable... Algún día tenía que ocurrir... Más joven no hubiera ocurrido... Me hubiera dado tiempo...

En la cocina se aguantaba mal la mar. Sas, Juan Quiroga y Artola se asomaron a la puerta del rancho de proa y se fueron hacia el rancho de los engrasadores. Bajó Celso Quiroga del puente y anunció en voz baja a Domingo Ventura, silencioso, y a Macario Martín:

—Hay que hacer capa, ya hemos perdido el compañero, ya no se le ve. El patrón está intentando comunicar con costa, pero no hay respuesta. Hay que hacer capa...

Simón Orozco asía la barandilla de la litera, con la mano izquierda. La mano ancha, grande, morena, vellosa, de descoloridas uñas, se crispaba sobre el hierro, se relajaba sobre el hierro, se fortalecía momentáneamente sobre el hierro, momentáneamente, también, descansaba sobre el hierro.

En el puente estaba a la rueda el contramaestre. Paulino Castro había dejado de llamar por la radio.

—Hay que decidirse — dijo Paulino —, no podemos navegar con esta mar. Corremos el peligro de irnos todos para abajo. Hay que decidirse.

Las olas cubrían la cubierta, rompían en los carretes y ascendían rectas hasta el puente.

—Patrón, la capa acaba con el señor Simón.

—No hay otro remedio.

—Sí, pero...

—Voy a decírselo. Tente si puedes al rumbo. Le diré a Macario que suba contigo mientras yo hablo con Simón.

Bajó al rancho de proa el patrón de costa.

En la cubierta la mar arrancaba la pesca de la red revuelta y atada. Los grandes peces muertos fosforecían siderales en las negruras de las aguas y desaparecían entre espumas. La luz de rumbo era la única estrella fija en el encuentro del cielo y la mar.

Macario Martín dijo a Afá:

—El señor Simón ha dicho que se haga capa.

Afá apretó fuertemente las cabillas de la rueda. Habló:

—La última de su vida.

Macario Martín y Afá se contemplaron a la luz de rumbo del palo de proa. Las olas golpeaban en el guardacalor constante y rabiosamente.

—Avisan — dijo Macario Martín.

—Bantry está muy lejos — respondió Afá —; no llegaría el barco. Seguramente el compañero ya está a la capa.

Macario Martín volvió a mirar la luz del rumbo. Dijo:

—El señor Simón...

XII

E N la amanecida verdinegra la sombra del «Aril» vagaba a la mar. La sostenida furia de las olas, la permanente violencia del viento, la constante densidad de la lluvia, cegaban los rumbos de la nave. Estaba el barco a la capa y setenta millas de alta mar lo separaban de los refugios costeros. En el puente observaban Paulino Castro y el contramaestre. Habían comunicado con el barco compañero que capeaba lejano. El «Uro» y su tripulación aguantaban bien las embestidas de las olas, la puja del viento, la estampida de las aguas pluviales desde sus celestes corralizas. En el «Uro», los ecos de dolor de Simón Orozco hacían maldecir la distancia de la costa. ¡Qué setenta millas negras!, dijo el patrón de pesca. ¡Qué setenta millas putas!, dijo el hombre del timón.

Simón Orozco no hablaba desde la madrugada, desde la peor mar de la capa. Había entreabierto los labios al vinagre del pañuelo de Macario Martín, había cerrado los labios a las palabras. Antes del gran silencio habló desde el umbral borroso de la agonía. Macario Martín repitió una y otra vez todas las palabras del patrón. Palabras que cruzaron la mar hasta el «Uro», que llegaron a muchos barcos de la flota del Gran Sol a la escucha, porque Paulino Castro las había comunicado, avisando la llegada de la muerte.

—Dijo: «Dios, Dios...» y su mano izquierda golpeó la barra de la litera, después cerró el puño de la derecha. Luego dijo: «María, los hijos...» y abrió los ojos y se quedó mirando para la trampilla del puente. Y cuando gritó, gritó fuerte, como al mandar la maniobra siguiendo la faena y dijo: «El mar...» y

Domingo Ventura estaba junto al patrón de pesca con el pañuelo de Macario Martín apretado entre las manos. Juan Ugalde y Venancio Artola miraban a Simón Orozco. En el rancho de popa se conversaba susurradamente.

—Antes de mediodía morirá — dijo Sas.

Ninguno se había echado en las literas. Sas y los dos hermanos Quiroga estaban de pie. Macario Martín, Juan Arenas y Gato Rojo, sentados.

—La capa va a ser larga — dijo Gato Rojo —. Si muere...

Macario Martín apretaba el puño del delito. La rosa de los vientos palidecía y se deformaba.

—Si calmara la mar y se pudiese dar máquina — dijo Macario Martín.

—La capa va a ser larga — repitió Gato Rojo —, aunque quién sabe, aunque quién sabe... — bajó la cabeza, pensativo —. Pero está muy malo.

—No tiene remedio — dijo Sas —, morirá hoy. El señor Simón se está acabando. Hace un rato lo he visto, ha empeorado mucho desde la madrugada, apenas respira y me ha dicho Artola que está orinando sangre, que en la litera...

Macario Martín miró hacia el ojo de buey, cuyo cristal empañado dejaba pasar una luz agria, una indecisa luz de amanecer. Macario habló lentamente:

—A estas horas ya estarán en la mar los sardineros si los tiempos son buenos por el sur...

Joaquín Sas alargó el cuello.

—¿Por qué piensas en los sardineros, Macario?

Macario Martín sonrió.

—¡Qué sé yo!

Los hermanos Quiroga se sentían atraídos por el ojo de buey. Los dos miraban hacia el agujero luminoso.

—Este año la sardina se está dando bien; se están sacando buenos jornales — dijo Sas.

—Sí — afirmó Celso Quiroga —, se puede vivir.

Juan Quiroga movió la cabeza afirmativamente sin separar los ojos del ventanillo.

—Si la pareja la venden por fin — la voz de Macario Martín tenía un trémolo de angustia —, si la venden por fin, éste, seguramente, hubiera sido el último viaje del señor Simón. Ya es un patrón viejo para Gran Sol, lo ha dicho él muchas veces. Los armadores quieren gente joven. Si la venden, el señor Simón puede que hubiera pedido plaza en los bous de la costera, y nosotros, bueno, nosotros, cada uno donde pudiera... Juan Arenas se rascaba los brazos desnudos y tiznados de las grasas del motor.

—Esas son cosas que dice Ventura. La pareja, ahora que está rindiendo, sería tonto venderla. No venderán la pareja.

Gato Rojo se sonó las narices con un sucio pañuelo, que guardó entre el pantalón y la camiseta.

—La bajura tiene ahora su comodidad, pero en el invierno tiene sus hambres. Yo no cambiaría el norte por la costa. Puedes ver todos los días a los chavales y a la mujer, eso sí. Los puedes ver, pero si no tienes qué echarles, porque no hay dinero, es peor que no verlos, mucho peor.

Macario Martín volvió la mirada desde el ojo de buey hasta la puerta del rancho. Movió la cabeza de abajo arriba, indicando con la mandíbula hacia delante:

—No sé... el señor Simón se está muriendo... yo preferiría morirme y que me enterraran... Bueno, la cosa es igual... si te mueres te has muerto y lo mismo te da Irlanda, que la mar, que tu tierra, pero yo preferiría que de morirme en la mar fuera allá — indicó de nuevo con la barbilla — por lo menos alguna vez...

—¡Qué más da! — dijo Sas.

—Ya, ya... Ya sé que es lo mismo — respondió Macario —, son cosas que se me ocurren ahora.

Las botas de aguas de Juan Quiroga eran las únicas botas de aguas, rojas, en el barco. Su color resaltaba en la penumbra de los bajos del rancho. Juan Quiroga movía los pies nerviosamente.

—Da tanto — dijo.

Celso Quiroga miró a su hermano.

—¿Te acuerdas de las maradas en la bajura? A cinco millas de la costa, a cinco millas de la taberna donde los amigos están bebiendo, a cinco millas de la familia, a cinco millas de la cama, a cinco millas del cementerio...

Juan Quiroga dejó de mover los pies.

—Tanto da — repitió.

—De ahogarse, de reventar, de que la motora se vaya a las rocas... ¿Para qué sirve pescar viendo el campanario de la iglesia? Lo mismo da que te saquen los ojos los cangrejos de aquí que los de allí, lo mismo da que los gusanos...

Joaquín Sas liaba un cigarrillo apoyando la espalda y la cabeza en la litera alta de su lado, para no perder el equilibrio.

—Prefiero morir en la cama — dijo después de humedecer el papel de fumar.

—Tu cama es un catre cualquiera de éstos —. Macario Martín sonrió amargamente —. Te mueres en la litera' de un barco y, ya ves, somos nosotros los que te tenemos que poner el traje nuevo si te lo has traído, y si no te lo has traído y todas tus camisas están sucias, uno te regala una camisa y en Bantry después de llevarte a la Lonja, nos volvemos todos para el barco hablando de ti y nos tomamos para animarnos un par de copas en cualquiera de las tiendas de bebidas. Muy bonito, es muy bonito. Primero uno, después otro, así va la tripulación completa. Da risa pensarlo. Y cada vez que suceda estaremos en un rancho hablando de que nos gustaría morir en un sitio o en otro, que si los cangrejos, que si los gusanos, que si los campanarios, que si la sardina, que si la familia... Buena redada de idiotas estamos hechos.

Macario Martín iba a continuar hablando, pero volvió la cabeza hacia el ojo de buey tras hacer un gesto y chascar la lengua. Juan Quiroga movía de nuevo los pies. Juan Arenas se rascaba los brazos. Gato Rojo se sonó las narices. Joaquín Sas expulsó el humo violentamente y lo contempló en su expansión por la camareta. Celso Quiroga se sobaba el lóbulo de la oreja derecha. Guardaron silencio.

Macario Martín comenzó a hablar muy despacio:

—¿Cuántos habéis conocido que hayan ido a la mar? Fuera de la guerra, en todos los años que llevo navegando nunca he visto a un hombre que lo echaran a la mar. Dicen que se ha hecho muchas veces. Yo no lo he visto. Hemos recogido ahogados y los hemos llevado a la costa. Hemos sacado en las redes muertos de hacía mucho tiempo y los hemos arrastrado para tierra. Yo no he visto echar a nadie a la mar y he visto morir gente en los barcos.

Celso Quiroga dejó de sobarse el lóbulo de la oreja.

—Yo he visto echar a un pescador a la mar. Con una capa larga. Tres días en la litera tieso como un cable. Hubo que echarlo a la mar, aunque nadie quería... Es que olía todo el barco... El patrón mandó que le ataran una plomada a la cintura y lo envolvimos en un trozo de red porque no había otra cosa a mano.

—A los muertos hay que hacerles el ataúd — dijo Gato Rojo —, es como tiene que ser.

Manuel Espina estaba sentado en la escalerilla de las máquinas, con la cabeza cogida entre las manos, entreteniéndose en la contemplación del breve oleaje, producido por los balanceos del barco, en un cubo de gasoil. Manuel Espina estaba ausente de las preocupaciones de los ranchos y el puente; cumplía su guardia sin faena, sus cuatro horas junto al motor, esperando que el tubo acústico lo despertara al trabajo. Manuel Espina movía el cuerpo al compás de las arfadas del «Aril»; vacío de pensamientos, con la mirada prendida en el oleaje del cubo como un contemplador de las aguas del muelle que descubre reflejos, que calcula impulsos, que mide la mancha de humedad en cemento. Como un contemplador de las aguas del muelle, dejaba correr el tiempo en la hipnosis del líquido, percibiendo el sonido monótono, midiendo la salpicadura, atento al embate.

Junto a la rueda del timón que gobernaba el contramaestre Afá, el patrón de costa hablaba de la mar y de los años pasados. Afá a veces afirmaba con la cabeza, otras aclaraba un supuesto de Paulino Castro con su particular punto de vista.

—El marinero montañés es buen marinero en los mercantes y en la bajura. El marinero gallego es un buen marinero siempre. El marinero montañés no quiere aprender el oficio; cada vez que tiene que hacer algo lo inventa. El marinero gallego se sabe el oficio desde grumete. A vosotros no os gusta que os enseñen. A mí me han enseñado a chicotazos; y a callar. Allí no había quien le dijese que no al patrón o quien protestase. A un chiquillo de barco que protestase lo corrían de popa a proa todos los de la tripulación, y si no cambiaba lo dejaba el patrón en el muelle para que se dedicase a otra cosa.

—Tiene usted razón, los montañeses nos negamos a aprender, nos furia que nos enseñen. Ahí tiene usted al Matao, ése ha dado peores contestaciones en su vida a más patrones que ningún marinero del Cantábrico. Ha hecho lo que le ha dado la gana. Así le ha lucido a él porque el Matao, si hubiera sido formal y hubiese hecho caso, igual estaba ahora de patrón de pesca en una pareja. Ahí lo tiene usted. Si mañana lo echan a puerto no tiene dónde caerse muerto. Creía que siempre iba a ser joven. Pero los montañeses...

Paulino Castro miró a la rueda del timón.

—Átala, José, no es necesario que estés cogido a ella.

El contramaestre obedeció. Apoyó después las dos manos en las cabillas y siguió contemplando el mar de proa. Paulino Castro entró en el cuarto de derrota. Siseó desde la trampilla. Domingo Ventura levantó la cabeza e hizo un ademán con la mano. Venancio Artola se subió a la mesa del rancho. Habló en voz baja con el patrón de costa:

—Se está acabando. Respira muy mal y hay veces que parece que ha dejado de respirar.

Domingo le ha levantado los párpados y no ve.

—Apártate.

Paulino Castro se descolgó al rancho. Gato Rojo bajó a su guardia. Macario Martín avanzó por las pasaderas hasta la cocina.

Juan Ugalde se apartó para dejar sitio al patrón de costa. Paulino Castro se acuclilló junto a la litera de Simón Orozco. Venancio Artola estaba apoyado en la mesa del rancho esperando que a la voz milagrosa, al milagroso contacto, del patrón de costa, Simón Orozco abriera los ojos y pronunciara alguna palabra. Desde la puerta Macario Martín observaba; poco a poco, con miedo de hacer ruido, de molestar al yacente, de importunar a Paulino Castro que tomaba entre sus dedos el débil pulso de Orozco, se acercó a Venancio Artola. Macario hizo un gesto interrogante con la cabeza. Venancio frunció los labios como contestación. Paulino Castro volvió el rostro hacia Domingo Ventura.

—Casi no se le coge el pulso, apenas un débil picoteo muy espaciado.

—En cualquier momento...

Paulino Castro se puso de pie. Domingo Ventura lo imitó.

—Debe tener un gran derrame interior, prácticamente está muerto — dijo el patrón de costa —. Se ha acabado Orozco.

Macario Martín se fue retirando hacia la puerta.

—¿Qué vamos a hacer? — preguntó Domingo Ventura...

—Esperar.

—Si la capa continúa...

—Ya se verá.

Simón Orozco hizo un movimiento seguido de una ronca inspiración. Macario Martín se volvió de la puerta. Todos guardaron silencio, contemplándolo.

—¿Ha comunicado con la costa, patrón? — preguntó Macario Martín.

—Es imposible. Lo hemos intentado durante la noche y hasta hace un rato. No se oyen más que ruidos. A los del «Uro» casi no les entendemos.

Paulino Castro subió a la mesa del rancho.

—Avisadme.

Domingo Ventura movió la cabeza. Paulino Castro se alzó a pulso por la trampilla. Macario Martín desapareció por la puerta de la cocina. Domingo Ventura miró alternativamente a Ugalde y Artola, se encogió de hombros y dijo:

—Ya es inútil todo. Ahora a esperar.

En el puente Paulino Castro comunicaba con el «Uro».

—...Está agonizando, agonizando... Veremos de avanzar con un poco más de máquina, vosotros haced lo mismo...

Macario Martín se quedó un largo rato en la cocina, mirando la mar por un ojo de buey. Luego caminó despacio hacia el rancho de popa. Cuando entró Joaquín Sas, le preguntó:

—¿Cómo va?

—Ya está en el fondo.

Joaquín Sas agachó la cabeza. Los hermanos Quiroga se miraron fijamente. Manuel Espina se asió fuertemente de la barra de su litera. Juan Arenas se rascó los brazos. Macario Martín escupió furiosamente en el suelo y pasó su bota por el salivazo. No se oía más que los ruidos de la mar. El silbido del tubo acústico rompió el silencio funeral del barco. Poco después el run del motor acompañaba a los hombres.

A mediodía murió Simón Orozco, cuando los partes de la BBC se oían en el puente como un moscardoneo sin sentido. A mediodía el motor calló. A mediodía el viento norte aumentó su violencia y la lluvia era un muro inabarcable y sonoro. A mediodía el «Aril» hacía capa a la espera.

Macario Martín se tumbó en su litera. Acababa de llegar del rancho de proa. Pidió vino al contramaestre y bebió largamente.

—Al patrón hay que subirlo a su litera — dijo, pasándose la mano izquierda por los labios —. Hay que subirlo, porque en el rancho no parece bien que esté.

—¿Lo ha dicho el costa?

—El costa no ha dicho nada. Hay que subirlo. No debe estar en el rancho.

El contramaestre consultó con la mirada a Gato Rojo. Dijo el engrasador:

—No sé. Habrá que preguntárselo al costa.

Macario Martín saltó al suelo.

—Siempre estuvo en el puente — dijo —. Debe estar cerca de sus cosas. Cuando haya que sacarlo, debe salir del puente.

El contramaestre tomó un trago de vino.

—¿No será mejor dejarlo donde está?

Macario Martín agitó las manos.

—Tiene que estar en el puente, tiene que estar en el puente.

Macario Martín estaba desazonado. Salió del rancho y caminó hasta la cocina. Desde la entrada al rancho de los marineros miró al patrón de pesca, yerto, con los brazos caídos a lo largo del cuerpo, sujetado por correas. Venancio Artola y Juan Ugalde estaban apoyados en la mesa.

—¿Dónde está Sas? — preguntó Macario Martín.

—Todos los gallegos están en el puente.

Macario Martín subió a la mesa y desapareció por la trampilla. Paulino Castro comunicaba con el «Uro». Celso y Juan Quiroga estaban junto al timón. Joaquín Sas observaba la mar desde los ventanillos de estribor. Cuando Paulino Castro acabó de hablar con el «Uro», Macario le preguntó:

—Patrón, ¿vamos a dejar al señor Simón en el rancho o lo vamos a subir a su litera? Deberíamos subirlo.

Paulino Castro dijo lentamente:

—¿Para qué quieres que lo subamos? Lo mejor es dejarlo donde está. Esto no puede durar mucho.

Macario Martín cerró su puño izquierdo y apretó la mano derecha contra él.

—El patrón... Bueno, seguramente tiene usted razón... es que yo creí que lo mejor era subirlo... Bueno, tal vez es mejor dejarlo en el rancho...

Macario Martín entró en el cuarto de derrota, miró a la litera de Simón Orozco, después bajó por la trampilla. Paulino Castro hizo un gesto de incomprensión para Macario Martín.

—¿Por qué querrá éste que lo subamos? Ya tenemos bastante encima para... ¿por qué querrá éste...?

Paulino Castro estuvo unos momentos pensando, luego miró hacia la mar por encima de la cabeza de Joaquín Sas y comenzó a hablar en gallego. Los hermanos Quiroga atendían lo que decía el patrón. Sonó la llamada de la radio.

—«Uro» a «Aril», «Uro» a «Aril»... comunicamos con tierra a través del «Escoli» a unas cuarenta millas al sur... De tierra a Igueldo...

La voz se hizo confusa y fue sucedida de ruidos. Joaquín Sas dijo a Paulino Castro:

—¿Quién duerme en el rancho?

—No te preocupes que esta noche no dormiremos en ningún sitio.

Macario Martín estaba en la cocina del barco. Contemplaba encima de la mesa la cazuelilla en la que solía subir la comida a Simón Orozco. Decidió guardarla en el armario.

En el rancho de popa José Afá maldecía la marea.

—Estábamos haciendo nevera, por primera vez en este año. Éste iba a ser un viaje de los que se cuentan. Ahora sí que será un viaje de los que se cuentan, pero por mala cosa. Este viaje tiene algo. Ya empezó mal con el asunto de las toberas, después la red enganchada en la hélice, ahora la muerte del señor Simón. Es el viaje de las desgracias. Nunca hemos tenido en esta pareja un viaje tan de proa a popa malo. Y no ha acabado.

Gato Rojo respiraba profundamente, echado en la litera,

sujetándose con la mano izquierda a la barra y apoyando el codo contra la estampa del guardacalor.

—Si esta capa dura vamos a freírnos todos bien; siempre que no ocurra algo peor y se suelte la red de proa o nos...

—Toma, bebe.

José Afá tendió la botella a Gato Rojo, que bebió un trago.

—Pásasela a Manolo.

Macario Martín estaba en la puerta. Habló:

—Dice el costa que es mejor no moverlo.

—Claro — respondió Afá.

—Creo que debiera estar en su litera.

—Pásale la botella a Macario — dijo Afá a Manuel Espina.

Manuel Espina dejó la botella entre las manos de Macario Martín.

—Bebe — dijo Afá.

Mecánicamente bebió un corto sorbo Macario Martín.

—Trae — dijo Afá.

Macario Martín se apoyó en la barra de la litera de Manuel Espina y subió a la suya. José Afá preguntó:

—¿A cuántas millas estaremos de costa?

—Parece que hemos derivado hacia el sureste — dijo Gato Rojo —. ¡Quién sabe si mañana estamos a vista de la costa!

José Afá colgo la botella de la litera.

—Quien quiera vino ahí lo tiene.

Macario Martín tenía los brazos cruzados bajo su cabeza.

—Pienso — dijo — que debiéramos subir al patrón a su litera.

José Afá lo miró detenidamente. Descolgó la botella y se la ofreció.

—Bebe un trago, Macario.

—No, ahora no.

José Afá bebió largamente, colgó la botella y se puso a mirar entre sus pies. Gato Rojo se volvió hacia la estampa del guardacalor. Manuel Espina saltó de la litera y dijo:

—Voy a ver a Ventura.

Al salir del rancho cerró la puerta.

XIII

S IMÓN Orozco. El viento sigue aumentando. Fuertes lluvias y mucha mar. Damos avante para el E durante una hora, buscando el faro de Bull. Hacemos capa. Sin otra novedad, la damos fin.»

El cuerpo de Simón Orozco estaba cubierto con una manta. Los tripulantes habían abandonado el rancho de proa. En el puente, Paulino Castro se acompañaba de los dos Quiroga. Domingo Ventura y el contramaestre hablaban en la cámara del primero. Sas, Artola, Ugalde, Macario Martín, descansaban en el rancho de popa. En máquinas los tres engrasadores construían un ataúd.

Gato Rojo, de rodillas en las chapas, clavaba las tablas de las cajas de pescado que le pasaba Juan Arenas. Arenas las aserraba por las señales de Gato Rojo, con mucha dificultad porque estaban húmedas. Manuel Espina preparaba pintura negra en un cacharro; pintura de la que se empleaba para el casco del barco.

En el puente, Paulino Castro había dejado de hablar en gallego con los hermanos Quiroga. Calculaban la llegada a Bantry. Habían decidido llevar al patrón de pesca a Bantry.

—En seis horas embicábamos la bahía — dijo el patrón de costa —. Con que calmara la mar durante seis horas, tomábamos puerto.

Juan Quiroga acariciaba las cabillas de la rueda, contemplaba la oscilante rosa de los vientos. Celso Quiroga preguntaba a Paulino Castro.

—Patrón, ¿el señor Orozco estuvo muchos años en los barcos yanquis?

—Nunca me lo dijo.

Juan Quiroga dejó de contemplar la rosa de los vientos. Habló:

—Uno tira para aquí y se equivoca. Uno cree que es más cómodo y mejor. Luego pasa el tiempo y se equivoca. El señor Simón podía haber hecho dinero por allí.

—Puede — comentó Paulino Castro.

—A uno le debiera dejar la vida que se le pasara el bravío de la mar. ¡Qué va! Uno se va avante con los pies muy juntos y con toda la pringue del barco y con la broma en los huesos como un madero.

Paulino Castro sonrió. Pensaba que a él no le esperaba la muerte en la mar.

No para todos es así. Hay que saber retirarse a tiempo.

—Usted podrá — dijo Juan Quiroga —. Nosotros hasta que nos desguacen en el muelle. ¡Y contentos!

—No, hombre; se pueden hacer otras cosas.

—Usted — en la voz de Juan Quiroga había un punto de rabia —. Usted gana lo suyo que es bastante. Nosotros, ¡qué fortuna! Uno acaba donde empieza. ¡Y contento!

Celso Quiroga mostraba su desilusión por los tiempos que se vivían.

—Ya no es posible enrolarse en los barcos yanquis. Se ha pasado la guerra, ya no quieren gente. Tienen bastante, pero esta guerra que se pasó era una buena ocasión.

Paulino Castro fumaba expeliendo el humo suavemente.

—No se gana tanto de patrón. Yo he podido ahorrar algo por lo de mi mujer, si no...

—Yo no tengo ni deudas — dijo Juan Quiroga —, yo estoy peor que los que deben, porque no puedo hacer ni deudas.

—¿Cuánto cobrará un marinero en los mercantes yanquis? — preguntó Celso Quiroga.

—Para ir viviendo allí — respondió el patrón de costa —. En la mar, ¡qué se va a sacar!

Juan Quiroga contemplaba de nuevo la rosa de los vientos. Su voz, al hablar, era como una queja alargada.

—Con padrinos se puede encontrar trabajo en el muelle. Es mejor pesar que pescar. Patrón, si uno supiera un poco de números y tuviera buena letra, sería fácil encontrar una colocación, ¿verdad?

Paulino Castro expelió el humo con fuerza.

—No pienses en eso, Juan, no te ibas a acostumbrar.

—Acostumbrar...

Domingo Ventura y el contramaestre Afá estaban en silencio. Domingo Ventura dijo de pronto:

—El chico mayor trabaja ya de mecánico. Algo le darán a su mujer.

—¿Cuánto?

—No sé, pero bastante. Le tienen que dar los del Montepío y los del seguro. El armador también les largará dinero por su cuenta. Todos los armadores lo hacen en estos casos.

—Ya.

José Afá se frotó las manos contra el pantalón. Domingo Ventura se quitó la boquilla de los labios.

—Más el dinero de esta marea que es bastante.

—Ya.

—Más el bacalao, que es costumbre dejarlo.

—Ya.

—Cuando se acabe...

—El señor Simón ha salido perdiendo por ser honrado, por no dejarnos salar más que con los sacos que subimos.

Domingo Ventura tenía apoyada la espalda contra la estampa del guardacalor, los pies haciendo fuerza contra la barra de la litera. Domingo Ventura estaba sentado en un cajón. José Afá, de pie, evitaba los golpes de los balances amurando, con las dos manos contra las paredes.

—A la mujer se lo comunicará la Comandancia de San Sebastián. Luego recibirá un telegrama del armador.

—Ya estará enterada y sabrá que todavía estamos en la mar.

Gato Rojo cruzó ante la puerta del camarote de Domingo Ventura. El contramaestre y el motorista lo vieron caminar por la pasadera. Vieron iluminarse su cabeza bermeja a la luz del ojo de buey. Vieron como desaparecía en la cocina.

—Han debido acabar — dijo José Afá.

Gato Rojo, en el puente, comunicaba al patrón de costa.

—Ya está terminado, patrón. Manuel Espina le está dando

una capa de negro. La pintura no se va a secar porque la madera está prieta de humedad, pero parecía mal...

—Bien, Carmelo.

—Es que parecía mal dejarlo sin pintar...

—No te preocupes, porque en puerto...

—Macario Martín ha dicho que ése es el ataúd del señor Simón y que no hay que cambiarlo en puerto, que hay que enterrarlo así.

Paulino Castro arrojó su cigarrillo contra el suelo y lo pisó. Dijo iracundamente:

—¡Quién es Macario! Dime. ¿Qué es lo que se va a hacer aquí? Dile a Macario... Bueno, se hará lo que yo diga. Si la capa dura irá con él a la mar, si no...

Juan Quiroga intervino:

—Si le han hecho el ataúd, el señor Simón debe ir en ese ataúd.

Paulino Castro miró rabiosamente a Juan Quiroga. Luego se fue calmando.

—Ya se verá; eso se discutirá en Bantry.

Gato Rojo abrió las manos, abrió el aire como si fuese un libro.

—Macario...

E N la madrugada Paulino Castro había escrito en el cuaderno de bitácora: «Viento frescachón del NE. Navegando. Cielo cubierto. Marejada. A 23 h. demora el faro de Skelling a N 48 E. A 23'40 h. demora el faro de Bull a S 50 E...»

En la tienda de Mulligan Macario Martín se frotó con un pañuelo sucio la pintura del hombro de la chaqueta. O'Halloran volvió a invitar. Artola y Ugalde bebían en silencio. Un grupo de marineros del «Uro» escuchaba a Joaquín Sas. Los patrones estaban sentados con O'Halloran. José Afá bebió su cerveza de golpe y pidió más. Los engrasadores del «Aril» hablaban susurradamente. Domingo Ventura tascaba boquilla entre Juan y Celso Quiroga. Macario Martín se guardó el pañuelo y salió de la tienda de Mulligan.

Al atardecer el «Uro» y el «Aril» eran dos manchas negras en la boca de la bahía de Bantry. Don José O'Halloran estaba en el muelle. Cuando los barcos desaparecieron, volvió la vista a Bantry. Más allá de las casas, en un rincón del cementerio, al que llegaba el viento del norte, estaba Simón Orozco. Don José O'Halloran regresó lentamente hacia su casa.

El «Uro» y el «Aril» hacían rumbo al sur. Los perfiles de la costa irlandesa se difuminaban en la distancia. El «Uro» y el «Aril» hacían rumbo al sur.

INDICE

GALERIA LITERARIA